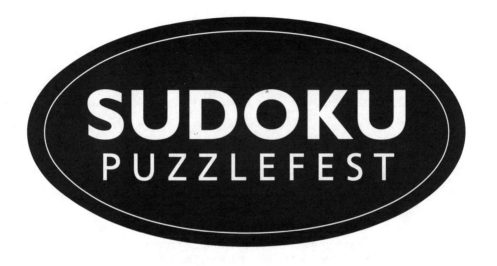

SUDOKU PUZZLEFEST

FRANK LONGO

STERLING INNOVATION
An imprint of Sterling Publishing Co., Inc.

New York / London
www.sterlingpublishing.com

STERLING, the Sterling logo, STERLING INNOVATION, and the Sterling Innovation logo
are registered trademarks of Sterling Publishing Co., Inc.

2 4 6 8 10 9 7 5 3

Published by Sterling Publishing Co., Inc.
387 Park Avenue South, New York, NY 10016
© 2010 by Sterling Publishing Co., Inc.

This book is comprised of material from the following Sterling titles:
Breezy Monday Sudoku © 2008 by Sterling Publishing Co., Inc.
Harder Wednesday Sudoku © 2008 by Sterling Publishing Co., Inc.
Cranium-Crushing Friday Sudoku © 2008 by Sterling Publishing Co., Inc.

Distributed in Canada by Sterling Publishing
c/o Canadian Manda Group, 165 Dufferin Street
Toronto, Ontario, Canada M6K 3H6
Distributed in the United Kingdom by GMC Distribution Services
Castle Place, 166 High Street, Lewes, East Sussex, England BN7 1XU
Distributed in Australia by Capricorn Link (Australia) Pty. Ltd.
P.O. Box 704, Windsor, NSW 2756, Australia

Printed in China
All rights reserved

Sterling ISBN 978-1-4027-7582-6

For information about custom editions, special sales, premium and
corporate purchases, please contact Sterling Special Sales
Department at 800-805-5489 or specialsales@sterlingpublishing.com.

CONTENTS

INTRODUCTION

To solve sudoku puzzles, all you need to know is this one simple rule:

Fill in the boxes so that each of the nine rows, each of the nine columns, and each of the nine 3x3 sections contain all the numbers from 1 to 9

And that's all there is to it! Using this simple rule, let's see how far we get on this sample puzzle at right. (The letters at the top and left edges of the puzzle are for reference only; you won't see them in the regular puzzles.)

	A	B	C	D	E	F	G	H	I
J									
K					2		1	8	4
L	9		5		7		2		6
M	1		4	3	9	2		7	
N					7		6		
O		7		1	4	8	9		2
P	3		2		6		8		5
Q	8	4	9		3				
R									

The first number that can be filled in is an obvious one: box EN is the only blank box in the center 3x3 section, and all the digits 1 through 9 are represented except for 5. EN must be 5.

The next box is a little trickier to discover. Consider the upper left 3x3 section of the puzzle. Where can a 4 go? It can't go in AK, BK, or CK because row K already has a 4 at IK. It can't go in BJ or BL because column B already has a 4 at BQ. It can't go in CJ because column C already has a 4 at CM. So it must go in AJ.

Another box in that same section that can now be filled is BJ. A 2 can't go in AK, BK, or CK due to the 2 at EK. The 2 at GL rules out a 2 at BL. And the 2 at CP means that a 2 can't go in CJ. So BJ must contain the 2. It is worth noting that this 2 couldn't have been placed without the 4 at AJ in place. Many of the puzzles rely on this type of steppingstone process.

We now have a grid as shown at right. Let's examine column A. There are four blank boxes in column A; in which blank box must the 2 be placed? It can't be AK because of the 2 in EK (and the 2 in BJ). It can't be AO because of the 2 in IO. It can't be AR because of the 2 in CP. Thus, it must be AN that has the 2.

	A	B	C	D	E	F	G	H	I
J	4	2							
K					2		1	8	4
L	9		5		7		2		6
M	1		4	3	9	2		7	
N					7	5	6		
O		7		1	4	8	9		2
P	3		2		6		8		5
Q	8	4	9		3				
R									

By the 9's in AL, EM, and CQ, box BN must be 9. Do you see how?

We can now determine the value for box IM. Looking at row M and then column I, we find all the digits 1 through 9 are represented but 8. IM must be 8.

This brief example of some of the techniques leaves us with the grid at left. You should now be able to use what you learned to fill in CN followed by BL, then HL followed by DL and FL. As you keep going through this puzzle, you'll find it gets easier as you fill in more. And as you keep working through the puzzles in this book, you'll find it gets easier and more fun each time. The final answer is shown at right.

This book starts with easy puzzles and builds up to expert levels. To complete the more difficult puzzles, you'll need to use just about every solving method there is, including XYZ-wings, jellyfish, and Gordonian Polygons. (See *Mensa Guide to Solving Sudoku* by Peter Gordon and me for tips.) Enjoy exercising your mind with these puzzles!

—Frank Longo

	A	B	C	D	E	F	G	H	I
J	4	2							
K					2		1	8	4
L	9		5		7		2		6
M	1		4	3	9	2		7	8
N	2	9		7	5	6			
O		7		1	4	8	9		2
P	3		2		6		8		5
Q	8	4	9		3				
R									

	A	B	C	D	E	F	G	H	I
J	4	2	1	6	8	3	5	9	7
K	7	3	6	5	2	9	1	8	4
L	9	8	5	4	7	1	2	3	6
M	1	5	4	3	9	2	6	7	8
N	2	9	8	7	5	6	4	1	3
O	6	7	3	1	4	8	9	5	2
P	3	1	2	9	6	7	8	4	5
Q	8	4	9	2	3	5	7	6	1
R	5	6	7	8	1	4	3	2	9

1

3	7	8	1	6	2	4	5	9
4	6	2	5	3	9	1	7	8
9	5	1	7	8	4	3	6	2
1	4	7	3	9	6	2	8	5
2	9	5	8	1	7	6	3	4
6	8	3	4	2	5	7	9	1
7	2	6	9	4	8	5	1	3
8	1	4	6	5	3	9	2	7
5	3	9	2	7	1	8	4	6

2

4	1	6	2	3	5	7	8	9
5	9	7	1	8	6	3	4	2
8	3	2	7	4	9	5	1	6
9	4	1	8	6	3	2	7	5
6	5	8	4	2	7	1	9	3
2	7	3	9	5	1	4	6	8
1	6	5	3	9	4	8	2	7
3	8	4	6	7	2	9	5	1
7	2	9	5	1	8	6	3	4

3

2	7	4	3				5	
5	1	6	7	2			3	8
9	8	3	6			7		
	4	5		7		9	2	3
	2	7				8	4	5
		9		5		1	6	7
					7		1	4
4	9	1		3			8	6
7					1	3	9	

4

	3		4		8		2	
	8		7	3	2	9	1	
		2				8		3
				8	1	6		
8	6						4	1
		9	3	6			8	
6		8				1		
	4	7	8		3			
	2				6		5	8

5

3	1	8	5	9	6	2	7	4
2	7	5	8	1	4	9	3	6
6	4	9	7	2	3	8	5	1
7	3	6	1	4	9	5	8	2
8	5	2	3	6	7	4	1	9
4	9	1	2	8	5	3	6	7
5	8	4	6	7	2	1	9	3
9	6	3	4	5	1	7	2	8
1	2	7	9	3	8	6	4	5

6

7	8	9	6	2	4	5	1	3
4	3	6	7	1	5	8	2	9
5	2	1	9	3	8	6	7	4
6	5	8	2	4	7	3	9	1
9	1	2	8	6	3	7	4	5
3	4	7	5	9	1	2	8	6
1	6	3	4	7	2	9	5	8
2	9	5	1	8	6	4	3	7
8	7	4	3	5	9	1	6	2

7

2	1	4	6	3	5	8	7	9
8	5	9	7	4	1	2	6	3
7	6	3	9	8	2	5	4	1
3	8	2	5	9	6	7	1	4
5	7	1	4	2	3	6	9	8
9	4	6	8	1	7	3	2	5
6	9	5	3	7	4	1	8	2
1	3	8	2	6	9	4	5	7
4	2	7	1	5	8	9	3	6

8

4	6	3	7	9	8	5	2	1
5	7	8	6	2	1	3	9	4
9	1	2	5	3	4	7	6	8
6	5	7	4	8	2	1	3	9
1	8	9	3	6	7	2	4	5
2	3	4	1	5	9	8	7	6
8	2	5	9	7	6	4	1	3
7	4	6	8	1	3	9	5	2
3	9	1	2	4	5	6	8	7

9

8	4	2	6	7	9	5	3	1
1	3	6	2	4	5	7	8	9
9	7	5	8	3	1	2	4	6
7	1	3	4	2	8	9	6	5
4	2	8	5	9	6	3	1	7
5	6	9	3	1	7	8	2	4
2	8	1	7	5	4	6	9	3
6	9	7	1	8	3	4	5	2
3	5	4	9	6	2	1	7	8

10

4	7	1	5	8	6	2	3	9
8	9	2	4	7	3	1	6	5
3	5	6	9	1	2	4	8	7
9	2	3	6	5	7	8	4	1
6	1	8	3	4	9	7	5	2
7	4	5	1	2	8	6	9	3
1	6	9	2	3	4	5	7	8
2	8	4	7	9	5	3	1	6
5	3	7	8	6	1	9	2	4

11

7	2	6	1	4	9	5	3	8
9	5	1	8	7	3	2	4	6
4	8	3	2	5	6	1	7	9
5	6	9	3	1	4	8	2	7
2	3	8	9	6	7	4	5	1
1	4	7	5	2	8	9	6	3
3	7	2	4	8	1	6	9	5
8	9	4	6	3	5	7	1	2
6	1	5	7	9	2	3	8	4

12

5	2	6	7	3	9	4	8	1
4	7	3	8	1	2	6	9	5
1	8	9	4	5	6	7	3	2
8	3	1	9	4	7	5	2	6
2	9	7	3	6	5	1	4	8
6	5	4	2	8	1	9	7	3
7	6	8	5	9	3	2	1	4
9	4	5	1	2	8	3	6	7
3	1	2	6	7	4	8	5	9

13

4	5	3	7	8	1	2	6	9
9	8	7	2	5	6	4	1	3
6	1	2	9	3	4	5	8	7
5	7	9	1	2	3	8	4	6
2	3	8	6	4	7	9	5	1
1	6	4	5	9	8	3	7	2
7	2	5	4	6	9	1	3	8
8	4	6	3	1	2	7	9	5
3	9	1	8	7	5	6	2	4

14

1	7	9	2	4	5	3	6	8
3	8	5	6	9	7	4	2	1
4	6	2	8	3	1	5	7	9
2	4	8	7	1	9	6	5	3
7	3	6	5	2	8	1	9	4
5	9	1	3	6	4	7	8	2
8	5	3	4	7	2	9	1	6
6	1	7	9	8	3	2	4	5
9	2	4	1	5	6	8	3	7

5	4	1	2	9	7	3	6	8
2	3	8	5	4	6	1	9	7
7	9	6	1	8	3	4	5	2
6	2	5	3	7	9	8	4	1
1	7	4	6	5	8	9	2	3
3	8	9	4	2	1	5	7	6
4	1	7	9	3	2	6	8	5
9	6	2	8	1	5	7	3	4
8	5	3	7	6	4	2	1	9

3	9	7	5	4	1	8	2	6
1	8	2	7	3	6	5	4	9
5	6	4	8	9	2	7	1	3
2	7	5	3	1	4	6	9	8
4	3	8	6	7	9	2	5	1
9	1	6	2	8	5	4	3	7
6	2	1	9	5	8	3	7	4
7	5	9	4	6	3	1	8	2
8	4	3	1	2	7	9	6	5

17

3	5	8	4	6	9	2	1	7
9	2	6	1	8	7	4	5	3
4	7	1	3	2	5	8	9	6
7	6	5	8	3	1	9	2	4
2	1	9	5	4	6	3	7	8
8	3	4	9	7	2	5	6	1
6	4	7	2	9	3	1	8	5
5	8	2	6	1	4	7	3	9
1	9	3	7	5	8	6	4	2

18

2	9	4	3	5	7	8	6	1
8	5	7	4	6	1	2	3	9
3	1	6	2	9	8	7	5	4
5	2	1	7	8	3	4	9	6
6	7	8	5	4	9	3	1	2
9	4	3	6	1	2	5	7	8
4	6	2	9	7	5	1	8	3
1	3	5	8	2	6	9	4	7
7	8	9	1	3	4	6	2	5

19

8	9	7	5	6	2	3	4	1
2	4	5	9	3	1	8	6	7
3	6	1	7	8	4	5	9	2
6	2	8	3	4	7	9	1	5
1	5	4	2	9	8	7	3	6
9	7	3	1	5	6	2	8	4
4	8	9	6	2	5	1	7	3
5	1	6	8	7	3	4	2	9
7	3	2	4	1	9	6	5	8

20

3	8	7	9	4	1	6	5	2
5	9	2	7	3	6	1	8	4
1	4	6	5	2	8	3	9	7
6	2	4	8	9	7	5	3	1
8	1	3	2	5	4	9	7	6
7	5	9	1	6	3	4	2	8
4	6	8	3	7	5	2	1	9
9	7	5	4	1	2	8	6	3
2	3	1	6	8	9	7	4	5

21

2	8	5	6	1	9	4	3	7
3	4	1	5	2	7	6	8	9
7	9	6	3	4	8	1	2	5
5	1	9	7	8	3	2	4	6
6	3	4	2	5	1	9	7	8
8	2	7	4	9	6	5	1	3
4	6	3	1	7	5	8	9	2
9	5	2	8	3	4	7	6	1
1	7	8	9	6	2	3	5	4

22

4	5	7	1	6	3	8	2	9
8	6	3	9	7	2	5	4	1
1	2	9	5	4	8	3	7	6
3	9	1	8	5	7	4	6	2
7	4	5	6	2	1	9	8	3
2	8	6	4	3	9	1	5	7
5	3	4	2	9	6	7	1	8
9	1	2	7	8	5	6	3	4
6	7	8	3	1	4	2	9	5

23

5	2	3	1	9	7	8	6	4
7	1	6	5	8	4	2	3	9
8	4	9	2	6	3	7	5	1
4	6	2	7	3	5	1	9	8
9	8	1	6	4	2	5	7	3
3	5	7	9	1	8	4	2	6
1	7	8	3	5	6	9	4	2
2	3	4	8	7	9	6	1	5
6	9	5	4	2	1	3	8	7

24

6	4	8	7	9	2	5	1	3
7	2	3	4	5	1	9	8	6
1	5	9	3	8	6	4	2	7
4	3	2	1	7	9	8	6	5
9	8	7	2	6	5	1	3	4
5	6	1	8	4	3	7	9	2
2	9	6	5	1	7	3	4	8
8	1	5	6	3	4	2	7	9
3	7	4	9	2	8	6	5	1

9	5	1	2	4	6	8	7	3
6	7	2	5	8	3	4	1	9
8	3	4	9	1	7	2	5	6
4	6	7	8	2	1	9	3	5
2	1	8	3	5	9	6	4	7
5	9	3	6	7	4	1	8	2
3	2	5	1	6	8	7	9	4
7	8	9	4	3	2	5	6	1
1	4	6	7	9	5	3	2	8

5	1	2	8	3	7	9	4	6
6	3	9	4	1	2	7	8	5
8	7	4	5	6	9	2	1	3
2	4	8	1	5	3	6	9	7
9	6	1	7	2	4	3	5	8
7	5	3	9	8	6	4	2	1
1	9	6	3	4	8	5	7	2
4	2	5	6	7	1	8	3	9
3	8	7	2	9	5	1	6	4

27

3	6	5	7	4	9	8	2	1
9	4	8	1	2	3	5	6	7
2	7	1	8	6	5	9	3	4
7	3	4	2	5	6	1	8	9
1	9	2	3	8	7	4	5	6
8	5	6	4	9	1	2	7	3
5	8	9	6	3	4	7	1	2
4	1	3	5	7	2	6	9	8
6	2	7	9	1	8	3	4	5

28

			6	5		8		
8	4	5	7					2
	9		3		8		7	5
4			8					7
		9		7		3		
		8			5			8
5	1	3	4	8	7		2	
2	8	4		5		7	6	3
9	6	7	6	2	3		8	

29

1	6	5	9	3	8	2	4	7
8	2	7	4	1	5	6	9	3
4	9	3	2	7	6	5	8	1
3	8	4	5	2	9	1	7	6
9	1	6	3	8	7	4	5	2
7	5	2	1	6	4	9	3	8
2	7	9	6	4	3	8	1	5
6	4	8	7	5	1	3	2	9
5	3	1	8	9	2	7	6	4

30

8	6	1	5	4	3	9	2	7
2	3	5	7	8	9	1	6	4
4	7	9	1	2	6	8	3	5
3	2	7	4	1	5	6	8	9
5	9	4	8	6	2	3	7	1
6	1	8	9	3	7	5	4	2
7	4	3	6	5	1	2	9	8
1	8	2	3	9	4	7	5	6
9	5	6	2	7	8	4	1	3

31

6		1	5					
8		2	4	1	9			
5		3					4	
	5	4						
	8			7			6	
						5	8	
	6					4		2
			7	3	6	8		1
					8	3		6

32

6		1	8					9
7		5	6			8		
	3			9		5		
	6			1				2
			7		2			
8				4			9	
		7		3			1	
		3			1	2		8
1					8	4		5

33

1				3				9
				8	9	1	7	
9	8				6			
	6					2	5	
		2	5		8	7		
	4	8					3	
			9				4	6
	9	3	7	6				
2				4				7

34

2	7		8					
	4	8		1				2
	1				3	4		
9				3	4			
8		2				5		9
			9	8				1
		6	3				9	
5				2		7	3	
					7		8	5

35

9	4			5				
8		3			2		4	5
			4		3	1		
	5			3		2		
7								1
		6		9			7	
		5	2		6			
4	7		5			6		9
				7			2	4

36

4			7			2		6
6			3				5	
	8	9		5				
3	4	6						
	9		6		8		3	
						6	4	5
				2		8	7	
	1				4			3
8		7			9			1

37

2			9		4			
7	1						2	
				1	8	6	5	
3	8	7						
		2		6		5		
						4	1	3
	2	4	1	3				
	7						4	9
			4		5			2

38

			5			8		3
					8		6	9
			4	7				2
	6	4		5		2		
7	9						4	8
		1		4		6	3	
9				2	5			
2	7		3					
8		6			4			

39

1	8					2		
6				5				
	9	2	7		1			
8	3				5	9		
	5			2			4	
		6	8				7	1
			9		8	4	3	
				6				2
		5					8	9

40

8	6	1			4		3	
			6	3				8
		5		1			9	
			7				1	3
1								6
4	5				2			
	7			2		8		
5				9	7			
	2		3			7	4	9

41

		2		6		9		1
5			9	2				
		7			4	6		
4	1				9			
	5						1	
			5				3	2
		5	1			2		
				3	5			7
7		4		8		1		

42

9		5		3			6	
		4			1	5		
7	2			5				
5					4			8
	3		1		5		7	
1			7					6
				1			4	2
		2	3			7		
	7			2		6		1

43

4				5			6	
	5	3	9					
6		7	3			4		
5			8				7	
	7			6			9	
	8				4			6
		6			7	3		8
					5	6	4	
	4			1				9

44

		7		9	3		1	2
	4	8		2				
			8			4		7
5	1							6
			1		8			
8							9	1
9		3			4			
				8		1	7	
1	8		3	6		2		

4
5

5	2					6		
		1			3		2	
9				2	7		3	
		8	2	6				
2		7				1		6
				4	1	8		
	3		1	7				9
	8		9			2		
		2					6	7

4
6

4		1					8	
	7		3	8				
			4	9		3	5	1
					9			4
	4	6				5	3	
9			2					
3	6	8		5	4			
				3	6		7	
	9					4		3

47

		1	7	5				9
	6		9	8				
3	9						4	
7		4	3		8			
		8				1		
			6		7	2		8
	7						8	6
				9	6		5	
4				7	2	3		

48

2		8				9	1	
	9		2		3			
			9	5				7
	4	1						2
7				6				1
9						5	8	
1				2	5			
			3		4		2	
	2	6				7		3

49

2			6	8				1
		6	5				3	
	8					6	9	
8		9		2				
6			7		8			3
				6		7		5
	1	4					7	
	6				3	5		
5				1	7			9

50

	5						7	1
		9		8				3
				5	9	8		6
	2				4	1		
9			8		5			4
		1	7				9	
7		8	2	3				
3				7		4		
6	9						8	

51

		4	7		1			
			4	2				1
8	1						6	
7						8	5	
9		6		5		4		7
	8	1						3
	2						7	6
6				3	9			
			1		6	9		

52

	2	6		1				
	5		4				1	8
		8			7			2
7		1	3					
2				8				3
					9	2		4
6			2			5		
1	7				4		8	
				7		6	2	

5
3

				3	4		5	
		6	9			7		
2	8							
6		7	2			5	3	
8				1				7
	3	1			5	8		4
							1	8
		8			2	6		
	7		1	6				

5
4

3	9		4				5	
7		5					6	
			6		1		3	7
				7		8		
		1	5		2	4		
		4		8				
1	5		9		3			
	4					3		9
	3				8		1	5

55

3				9				7
	6			3	1		4	
		9	2			1		
	4	3			6			
7	1						6	4
			1			2	8	
		8			7	4		
	2		9	1			5	
5				4				6

56

			2		4	7		
2				1				3
	1	6		3	9		4	
6							1	9
		1				6		
8	7							4
	9		1	8		4	3	
3				4				2
		8	6		3			

57

5					9		1	
	3	6		2			4	
			3	1		7	6	
2							8	6
	1						9	
3	7							4
	5	2		7	4			
	6			3		4	2	
	4		9					1

58

5				2		8		
	9		1		4			
8	7		6				1	
		3	8					9
		9		4		7		
7					2	6		
	1				9		2	8
			2		5		9	
		6		1				3

59

7	1	2		5				
	3	9	7					
4		8	2					
5						8	9	
	6		4		3		1	
	8	1						3
					1	4		7
					4	9	2	
				3		5	6	8

60

7		6			1			
8	4		7					
			9	5		7		8
	6				7	5		
1		9				4		2
		3	5				8	
6		2		9	4			
					2		6	1
			1			3		4

61

		9		4	3	2		
2	8							9
			2		8	3		
8	4			5				
	6		7		4		8	
				8			7	5
		1	6		2			
3							9	1
		6	8	1		7		

62

			2	6		7		
1				5			4	
	7	9	3				5	
		7	9				8	
4	8						7	6
	1				5	4		
	6				8	5	1	
	4			2				7
		1		7	3			

6
3

8	6		4					
			6	5		3		4
		3				6		2
				8	2		5	
	2	8				4	9	
	9		3	7				
3		6				5		
1		2		9	6			
					8		4	6

6
4

8	6		5					
		2	8	3			6	
9	1	3						
3					7			
	5	6		1		3	2	
			9					4
						9	3	7
	7			9	2	6		
					6		5	2

6
5

		7	6			8		4
5				9	3			
2	1	6						
	5				7		1	
6			9		2			5
	2		8				6	
						5	8	9
			3	5				1
7		5			6	4		

6
6

1	7	2		3				
		6		4				1
		8			9	3		
			3		6		4	
3	4						1	6
	2		4		7			
		3	8			4		
2				7		6		
				6		1	5	8

67

		7		9	6			
1		9		4				2
	2					5	7	
			1		9			8
2	6						9	5
4			5		8			
	1	2					5	
5				8		6		1
			3	5		2		

68

	4				3	7		9
	9					2	5	
5			8	2				
			2		4	1		6
				8				
3		2	6		1			
				7	6			8
	6	8					3	
7		3	5				6	

69

2		1	3	4				
				5		2		3
	5		7		2			
	7	3	9					
	1	2				8	3	
					8	6	2	
			2		4		7	
4		5		6				
				1	3	9		4

70

8	6	4	5					
			8	9				
7						6	5	8
6				5			3	
		3	6		2	9		
	9			7				5
4	1	7						6
				1	5			
					8	2	1	7

7 1

8			9		7			
9		2		6	1			
				5		6	8	
3	4	7						
	1	8				7	2	
						3	1	4
	7	9		8				
			4	1		9		8
			7		3			1

7 2

2	4	1						
6		8	7		2			
	9			5				1
		9		3	5			
1	2						6	4
			1	4		9		
7				9			2	
			3		1	7		6
						8	1	5

73

	4				1			2
			6	7			3	
3	7		9		5			1
		3						4
		5		2		3		
9						5		
1			7		9		6	5
	5			1	6			
2			3				1	

74

		5	4	7				
2				8			1	
6			2			3	4	
7		6						
	4	1	3		7	2	5	
						6		1
	9	2			8			3
	1			3				8
				2	4	7		

7/5

					9	1	3	
		3		5	8			6
9		5	1					
		7					5	1
	9			7			4	
2	1					7		
					5	4		9
6			7	1		2		
	8	4	9					

7/6

5			2				1	
	2				1			9
			7	3	6	2		
2	8				7			
		1		3		8		
			9				7	6
	1	5	3	9				
7			1				9	
	3				8			1

77

4				7	9			
	9	1			2	4		7
			4			3		
5	6		2					
			7	9	5			
					4		3	8
		9			3			
3		7	9			6	5	
			6	4				3

78

8				1	6		7	
	6			7				8
1		2	8					
	8					6		9
		4	3		9	5		
3		6					2	
					5	8		2
6				9			1	
	4		2	3				5

79

				2	5		1	
	9	7	3				2	
					1	6		3
7				4				1
2		4				8		6
9				7				2
6		5	8					
	7				4	9	6	
	2		5	6				

80

9			3				5	
1		5			8			
			4	6			9	1
2	5	6						
		8		1		6		
						2	8	4
7	2			8	3			
			5			8		9
	8				2			3

8
1

	2			8		6		
1	3		4	2				
		5	1					9
9					6		5	
2		8				9		3
	6		2					1
6					5	8		
				7	2		3	6
		1		4			9	

8
2

8				1	6	4		
	6				2		7	
5		2	7					
		8		6				3
4			9		3			2
1				4		7		
					5	3		1
	8		3				5	
		5	6	9				7

83

5		1					9	
	2				8	5	7	
9					4			
	1	5		7	6			4
	3						1	
4			5	2		7	8	
			6					7
	8	9	2				3	
	5					2		9

84

6			3			7		8
		4		7				1
7	9			1				
	7		4				5	
		2	1		5	4		
	1				7		2	
				4			9	3
8				6		2		
2		7			8			5

85

9			1					6
1	7	8			2	4		
	6	4			7			
				5	9		2	
		7				1		
	9		7	3				
			9			2	6	
		2	5			7	4	9
6					8			1

86

		8	3		6			
				9		6		
5	2		7	4				9
	9					5		
7	8	1				2	4	6
		4					8	
4				5	3		7	1
		9		1				
			8		4	3		

87

3			4				6	
6				1				8
	7			6		1	4	
	8	9	1					
	6	3				8	5	
					2	9	7	
	3	6		7			1	
9				8				5
	5				4			3

88

		2		7			5	
8		7	2					
1	5					9		
3		9	1				4	
7			9		3			6
	6				4	1		3
		8					3	7
					9	4		1
	1			3		8		

89

8	3		5					4
	4				2			7
	6			7		8		
		1	4	5				
4		3				7		5
				2	3	6		
		4		6			9	
5			3				7	
9					1		3	2

90

9		8				7		
			7	9	1			
	7	4				3		5
	1	5			4			3
	3						1	
8			3			5	7	
3		6				8	5	
			8	2	6			
		2				1		6

91

		8			9			
	1		4		7			
9	5					4	3	1
			1	7				6
8								2
4				6	3			
3	8	2					6	4
			5		6		8	
			2			1		

92

			5			6	9	3
9				6			4	
3	4				1			
	2	7			5			
			7	9	4			
			6			5	1	
			1				7	5
	3			2				4
7	1	8			6			

93

						6	1	
			9					5
	3	2		8			4	
1		6	2			4	3	9
			3		6			
7	9	3			5	2		8
	2			4		7	8	
9					2			
	8	4						

94

	9				4	2		
				1	3			9
3				9	6	1		7
5							4	
	2	3				6	1	
	8							2
7		1	4	5				8
4			3	6				
		2	9				6	

95

		8					9	4
4				2			8	
1		6			4			
2				7	6			8
	8	4				7	1	
3			9	4				5
			2			4		7
	3			6				2
7	4					9		

96

8	5						2	4
	7	9	5					
3			7	1				
	6		3			9	7	
		8				4		
	2	4			7		6	
				6	9			7
					1	6	4	
2	9						8	1

97

9	6							
	1		3	5	6			7
				1		3		
1		5		9	7			
	7	8				4	5	
			2	4		7		1
		6		2				
3			5	6	4		1	
							9	4

98

			7	4	9			3
	9	7		5		4		
6	4							
					7	8		1
			4	1	2			
2		6	8					
							3	4
		3		2		6	7	
1			9	6	3			

99

	4		8			6		2
			5	2				4
6			9		7			
9	6							1
	1	4				7	9	
3							6	5
			7		8			6
4				3	5			
7		3			1		5	

100

	5		7	4		9		
6					9			
4			2	6				5
7	6		3			5		
	8						7	
		9			5		6	8
8				5	4			7
			6					4
		1		2	7		9	

101

	3		6					8
	8			2				
6	2		7				3	
8	9					6		2
		2		5		8		
1		6					7	5
	5				2		4	7
				3			6	
2					9		8	

102

			3		1	4		9
8		3						2
	2			6	5			
				8		1		4
	4	5				8	6	
3		1		7				
			7	4			9	
9						5		6
1		4	9		2			

103

4	6			3		1		
		8					3	4
9					4	8		
1				7	9			
	9		3		8		6	
			5	4				1
		7	9					5
8	2					7		
		4		2			8	6

104

	7			4				
	4	9	6				3	8
	3		8					7
	8		9		5			6
		7				9		
9			7		4		1	
5					6		8	
7	9				1	2	5	
				5			4	

105

4			2					
	2	5	6		9	4		
6							8	
				1		5	2	
	5	4	9		6	8	7	
	9	8		2				
	6							4
		7	1		8	3	9	
					3			8

106

1						8	2	
		7	5				9	
		8		1				6
			6		7	1	3	
		3		2		7		
	9	4	8		1			
2				9		5		
	8				2	9		
	3	1						4

107

	5	8						3
	1		4					
		9		1				2
5	9		8			7		
		2		7		9		
		4			2		5	8
3				9		8		
					8		4	
8						6	3	

108

	9							4
2		5		8			3	
7	1	3	2					
		8	1	7	9			
		9				4		
			5	4	3	1		
					1	7	6	2
	7			2		5		3
3							1	

109

				2			1	
		4			9	3		5
		9	5	1	7			8
						7	6	4
	4						5	
1	5	3						
4			2	3	6	5		
2		6	9			4		
	3			4				

110

		2	8			1		
				1	3	6		
7					2		4	
6	3				9			
	5	1	6		4	7	3	
			5				6	1
	2		3					4
		5	7	4				
		7			1	8		

111

			6		8	4	3	
			3			9		1
					4		8	7
		3		8		2	6	
8								3
	6	9		4		8		
9	8		4					
1		6			2			
	7	5	1		6			

112

		7		9				2
	3	4	5					
			8				7	5
7		5			9			
	9		6		7		1	
			3			6		7
9	4				6			
					5	1	4	
1				8		2		

113

		7		3				
5			7				3	2
					6	4	1	
	1				4	2	7	
			8					
	4	3	2				8	
	2	4	6					
8	3				7			1
			1			8		

114

	6		9	8			3	5
4		1						9
	9		4					
1		6				8		
			3	7	6			
		2				9		3
					2		8	
3						1		6
8	7			6	9		5	

115

7			6			3	9	
		1	5		8			
8						7	1	
	1		7	6				
		8	3		4	9		
				8	5		4	
	8	6						1
			1		6	2		
	3	2			9			6

116

				3		5		8
8	3	5						
7			5				4	
		8	6		4	3	5	
			3		2			
	2	3	1		7	6		
	5				1			6
						2	7	1
9		1		7				

117

5			4	3				
	9				2	4		1
		1					3	8
					7	5		4
	5						8	
1		7	2					
7	1					6		
4		3	7				2	
				4	6			5

118

	1	9		2			7	3
		7	9	4				
							5	1
			5			2	3	4
	7						6	
4	9	2			6			
9	4							
				1	4	6		
2	3			7		5	4	

119

			9	1				7
3		6		5				9
	9	2				3		
	2	5				9		
9								6
		3				4	2	
		1				6	5	
7				8		1		4
6				4	5			

120

	8				3		6	9
		4			9	1		5
				4	5			2
	1				6			
6		3				2		8
			4				5	
7			2	5				
5		6	1			7		
1	2		3				8	

121

			8					4
	7			9	2	6		
	3		6			7		9
			2		9	8	3	
2								5
	4	8	5		6			
6		9			7		4	
		4	1	8			6	
1					4			

122

			6			9	4	
		6	7					3
2	1			5				
	9		8					
	8	3	1		7	4	9	
					9		3	
				6			1	7
4					3	8		
	6	7			1			

1
2
3

9	3	5		6				
		7	1	9				
	6							3
	8			1			2	
7			9		6			4
	5			7			9	
4							7	
				3	1	2		
				2		8	4	5

1
2
4

6						5	1	7
		7	4					
	2				7		3	
5			6	9				
7		1		4		2		6
				2	5			9
	1		3				9	
					8	4		
9	8	3						1

125

	9	3			5	2		
			3		2		9	
					9	4		3
				3			6	4
3	6						1	2
8	4			2				
6		9	2					
	7		9		3			
		5	7			1	8	

126

6					7	5		
	4		1	5			7	
		1	4	3				
					3	2		9
8	2						4	3
7		3	8					
				6	4	9		
	8			9	1		3	
		9	7					1

127

		3			9		1	
		4	2		1	5	3	
5	9							
9				7			4	
3	6						9	7
	4			6				3
							7	8
	8	5	1		7	9		
	3		4			1		

128

	5				6			8
	8			5		2		
9	4		3					
		8	4					
4		1		2		6		5
					5	4		
					1		4	6
		4		8			5	
6			5				3	

129

		8		5	6			9
	7					2	3	
4			7	1	2			
	4	7	9					
2								6
					5	4	7	
			5	2	1			8
	1	2					9	
8			4	3		1		

130

							9	
		4		2	9	3		
	8	2			5		7	
7		8	2			6	5	
4								3
	2	6			4	1		7
	4		1			2	3	
		5	6	8		7		
	6							

131

5		2			4			
1			2				4	6
	7			5				1
8	6					7	2	
		3				9		
	9	5					6	3
9				7			3	
6	2				8			9
			1			6		8

132

8			6					5
4	7						8	2
			9	8	2			
6			8					
		2	5		4	9		
					6			1
			7	2	1			
5	8						2	4
2					8			6

133

			8	7	3			
7	5		2					
8		9				4		
	1						4	
2	4	7				1	6	9
	3						5	
		5				7		6
					4		2	8
			9	1	7			

134

9			6					
		6		3			4	8
		2	4	8				
	7			9	6	8		1
	6						7	
8		3	7	2			9	
				6	5	2		
6	2			4		3		
					1			4

1
3
5

	4	7	1					6
		6			5			4
		3				1		2
3			8	4				
4	8						6	5
				2	3			1
9		1				2		
5			7			6		
6					4	9	5	

1
3
6

		7				9		
	2				8		4	7
6	5			4				
			1	7			9	
7			5		4			8
	1			8	3			
				6			2	4
8	6		9				7	
		3				8		

1 3 7

2			5					
3	9							
	8	1	3	2	9			
	6	3				9		
1	5		6		8		4	7
		7				8	5	
			9	7	6	1	8	
							7	9
					2			4

1 3 8

9				4		7		
7	8				1	2		
	2		3				9	
	5		8		9	6		
2								3
		8	2		6		5	
	1				4		8	
		3	1				2	7
		5		2				4

139

	8					3		2
	4	2		5				9
5					6	4		
4			6	2				
	9		1		4		7	
				7	9			1
		9	5					4
8				3		9	1	
2		7					3	

140

		3					8	6
				8	6		7	2
					4	3	9	
5	3					6		
			5	4	3			
		4					3	5
	9	1	4					
6	7		9	5				
4	5					7		

141

3			9	5		1		
			3	2		9	6	
7	2					8		
9	5			6				
		7				2		
				7			4	9
		5					2	7
	7	6		8	2			
		3		1	4			5

142

	5		9			4		
9			1	7		2		
3						1		6
	8			2				9
			4		9			
4				5			1	
6		2						4
		4		1	7			2
		5			3		6	

143

				2		4	1	
					5		9	
6	3	8						
	8	1	2			9		4
4			1		9			3
9		5			4	2	7	
						8	5	7
	5		4					
	2	6		7				

144

			1	2		3		
1					8		4	
3		8			6			
		7	3			9		
	8	3		5		7	1	
		4			9	2		
			6			4		2
	4		7					1
		2		1	5			

1
4
5

	1				2	9	7	6
			9			8	2	
	7			1				
					1	2	8	9
		2				5		
6	9	3	5					
				6			4	
	6	4			5			
7	5	1	4				9	

1
4
6

	5	9	2					
8	3			5				
		1	3			7	5	
9			6	1				8
	1						9	
5				2	3			6
	8	5			7	3		
				3			4	5
					5	6	8	

147

	1			7				
6					3		9	5
8	3		2	1		7		
						4		3
		1		9		2		
3		2						
		6		5	9		2	4
7	4		1					8
				6			7	

148

	5		7			2	3	1
7		1		8				
	6			5		7		
			5			8		3
			6		3			
1		3			4			
		7		3			5	
				4		6		9
5	2	9			7		8	

149

			2		4		8	9
8					6	5		
6		1	3					
	8			3				6
5		6				3		7
7				6			2	
					3	7		8
		5	6					4
9	3		5		7			

150

5					2		7	9
		6			3			8
	2	8					4	3
				5		4		
			9	3	1			
		5		6				
2	8					9	3	
9			6			1		
4	6		3					5

151

					9	2	7	4
		7		1	4			5
9						6		
					1	3	2	
	1			5			9	
	3	9	4					
		4						2
2			8	6		5		
5	8	3	2					

152

	1			2			9	
			9		1	2		
9		7						6
7						4		3
8			5		3			9
5		4						1
3						1		5
		5	7		6			
	7			1			8	

153

	1		4					7
	3			1	5		2	
		4	2			3	9	
6				9				
	8	1				4	3	
				5				2
	4	8			9	5		
	5		1	7			4	
1					3		8	

154

	8	4		7			3	
		1						9
	6	7			9	1		
3		9			6			
6								1
			1			9		4
		2	7			8	9	
8						7		
	7			3		2	1	

155

	9				1			7
7	2			6		1		
6		4	2			5		
2	7			8				
			9		4			
				5			1	2
		8			7	6		5
		7		1			3	8
4			5				9	

156

	9	8	2		5			
			6				4	3
6				3				
		6				2	1	
5		2	9		4	6		7
	4	7				8		
				6				9
2	7				3			
			4		9	1	5	

157

4	3				6	5		2
					5		8	3
	6		3					
		6		2	4			8
		4				2		
7			5	9		4		
					1		7	
1	8		4					
3		2	6				5	9

158

	1			4				8
						1	7	
		5		1	8	3		9
	3		8					7
		8	9		2	4		
4					1		2	
8		4	1	7		6		
	5	1						
6				2			8	

159

7				9		4		
8					7			
1		5	2				7	
			1	6			2	
		8		5		9		
	4			7	8			
	8				4	7		9
			6					3
		3		1				5

160

		5	8		3			7
	4		1		7			
	3			6			2	
3	8							1
		2		9		4		
6							9	2
	9			1			8	
			2		4		6	
8			7		9	1		

161

	7			4			8	
				7		3		2
9		4			1			
5	4				2			
		3	7	8	4	5		
			3				6	8
			1			9		7
7		1		3				
	8			5			1	

162

			8	4				6
5							2	8
8		7			6		5	
	5	1						
		6	3		7	2		
						9	1	
	8		4			5		9
7	2							3
4				5	3			

163

	2			6				7
	3			5	2		1	
9		1			8			
2	9	8						
		6	9		1	7		
						2	9	5
			2			6		1
	5		8	1			2	
7				9			5	

164

8		5			1			
	1	2	8	6				
7		9	5					
2	7			8				
	5		4		3		8	
				5			6	4
					5	7		9
				9	8	5	4	
			6			3		8

165

		5		1		9		
6		9	7		3			
3	2					7		
	1				6			2
			4	5	7			
7			3				9	
		6					2	9
			8		2	1		5
		8		3		6		

166

	3		7		5			
				3	6			9
9	5					2		
				1		7		6
1	9	8				4	2	5
6		4		8				
		5					4	1
4			8	5				
			4		1		5	

167

4		2					3	
1	5					2		
				5				9
				6	4		5	
9		5	3		8	4		1
	4		9	2				
2				8				
		8					2	3
	3					1		5

168

	5		6			7		
		6	4			5		3
8	4				3	6		
				2	4			
	7	3				4	5	
			1	3				
		4	9				1	5
7		2			1	8		
		9			8		4	

169

5					9			3
4			7		1			
	9			4		7		
		7			6			2
	3	9				1	8	
8			2			9		
		2		6			3	
			4		7			1
6			3					4

170

		9	8				4	
		4			6			3
			4			8		9
				1	3			6
	4			8			5	
6			9	5				
3		7			2			
8			5			3		
	1				8	9		

1 7 1

	8	1						3
					7			9
6		5		3		2		1
1							7	
	9		5		8		3	
	6							2
5		9		7		6		4
2			6					
7						9	2	

1 7 2

	6	2		9	8			
4						5	3	
1		7			3			
			4					3
6	1			8			7	2
7					2			
			2			3		4
	4	1						9
			9	5		7	2	

173

2	1							9
		9					4	3
				5	9	6		
				8	2		3	6
4		7				1		8
6	3		9	1				
		5	3	2				
1	7					9		
8							5	1

174

	1			2	4		3	
5		8	9					
		9				8	1	
2								4
1			3	5	7			8
8								3
	3	6				2		
					3	9		1
	5		4	8			6	

		5			3			1
			4	7			6	
2	7					4		
4	6		9			5		
	1			5			3	
		2			8		4	7
		8					9	3
	9			2	6			
7			3			8		

		5	3			4	7	
7								2
	6		7	1				
					5		8	
		1	6	9	8	5		
	7		2					
				6	7		2	
4								5
	8	3			1	7		

177

6			5	9			1	
2							6	8
		9			2			4
		4		2	8			
	2	3				8	5	
			1	3		4		
3			4			1		
4	9							6
	5			1	6			2

178

		4	2				6	
				9	3		5	
		9			7		1	2
6					8			
	7			1			4	
			6					9
5	4		7			3		
	3		9	8				
	2				4	8		

179

5	7				6			
		8		4			9	
				7		8		6
		9			3		8	1
		4	7		8	9		
3	8		4			7		
8		3		2				
	2			3		6		
			6				2	9

180

					4	9		
	9	5		1		4		
	8		9			1	7	
						5	1	4
5								9
9	6	4						
	5	9			2		6	
		1		7		3	9	
		2	8					

181

2	8					9	1	
		5					8	
4					2			5
		8			9			
	3	7	2		1	8	6	
			6			2		
9			4					8
	4					3		
	6	2					9	7

182

	5			7				1
		7	6	2				
			9			5	4	
8			3				5	
9		5				6		8
	1				6			3
	9	8			3			
				8	2	3		
5				6			8	

3		7	2					
8				3			4	5
		2		4		8		
7	6		1		3			
			4		5		8	1
		3		2		1		
1	2			7				9
					9	4		3

					6	8		4
5	1	7			8	6		
8								2
1			8		2			
	8			9			4	
			6		4			1
2								3
		8	9			1	6	7
7		3	4					

185

7	1	5						
	4		5	7	2			
9			4					
	9	1			3	5		8
8		3	6			4	9	
					6			9
			1	2	9		6	
						7	1	3

186

5			6		4			7
6			2	5			9	
	9				7			
							3	2
7	2	5				8	6	1
3	6							
			7				2	
	3			1	6			4
1			4		3			6

187

					2	1		
				7		3		5
	2		3			4		9
				1	9	7		
5		1				6		8
		7	4	8				
9		8			3		7	
4		5		6				
		2	5					

188

				7	2			1
		1					9	
		4		1				2
		2			7		5	6
	1	6				8	7	
7	5		9			3		
2				9		6		
	4					9		
6			4	8				

189

			1	9	7			
	9	8				2		4
						9		
		7		4	2		6	9
			6		1			
2	6		7	5		8		
		4						
8		6				7	9	
			5	8	3			

190

7		8						
9			2					
		6	1	5			4	
		3	6			5		
4				2				7
		9			4	6		
	5			4	3	2		
					7			3
						1		5

191

		8			9			
2						5	6	7
	1			4	7			
4	9					8	3	2
8	5	2					7	4
			9	3			2	
1	8	7						9
			1			6		

192

	9		1	7				4
		1		5		7		3
		7	9					
4						9	5	7
				6				
7	1	9						8
					8	5		
5		4		9		2		
1				2	5		3	

193

3						7		1
				6	8	3		
	7	5		3				
		3			9		4	
			5	4	2			
	5		8			1		
				9		8	3	
		9	4	8				
7		8						6

194

				1			4	
5						1	3	
9			7	8				5
6				9	5			
1								9
			3	2				6
3				6	2			4
	9	7						1
	4			3				

195

					4	1		
			6				9	
5		3		2			6	7
1				7		9	2	
2	8						3	6
	3	9		6				1
3	1			4		7		2
	6				1			
		4	7					

196

		5						8
7		9	3					6
			9				3	
			8	4		7		
		1	7		9	4		
		7		3	2			
	4				1			
2					6	3		7
9						1		

197

	6					3		4
	9	8	2				1	
2					6	8		
	2	6			9			7
5			1			6	8	
		5	7					8
	3				4	1	6	
4		2					3	

198

		6		1	7			
	3	5						
9					6			1
5	4		2	7				
8	9						2	5
				5	8		7	9
3			9					4
						8	3	
			7	6		1		

MEDIUM

199

7				6				1
				2			4	
		6	8	9		5		3
					4		9	
	3	5				6	1	
	4		6					
5		7		3	8	4		
	1			4				
3				5				8

200

	1				4		3	
		9		3	6		2	
			2					
	9	2				1	5	
3		4				2		7
	7	1				9	4	
					8			
	5		6	1		7		
	6		7				1	

201

8							4	
		6	9			5		
1			2			7		6
	8		5	6				4
				3				
5				7	2		9	
3		1			8			5
		9			1	8		
	5							2

202

	5		3	7			9	
4				2	9			
						6		4
		8					7	6
		7		4		1		
1	2					9		
3		1						
			4	9				7
	9			5	3		6	

203

			1			8		
8				5		4		1
					3		5	
5		3		8		6	4	
	8			4			7	
	4	7		6		1		2
	6		9					
7		8		3				5
		2			8			

204

9				7		1		2
						6	3	9
			9			5		
8	3		2			7		1
1								8
7		5			8		2	6
		4			2			
3	5	8						
2		1		6				3

9	2	4	1	7	8	6	3	5
6	3	1	5	9	2	4	7	8
8	5	7	4	6	3	1	2	9
5	1	2	8	4	7	3	9	6
7	6	8	9	3	5	2	1	4
4	9	3	6	2	1	8	5	7
2	4	9	3	5	6	7	8	1
1	7	5	2	8	4	9	6	3
3	8	6	7	1	9	5	4	2

4	1	3	5	2	8	6	9	7
2	6	8	1	7	9	3	4	5
7	5	9	6	4	3	2	8	1
9	4	5	2	3	6	1	7	8
1	7	6	9	8	4	5	3	2
8	3	2	7	1	5	4	6	9
3	8	1	4	5	7	9	2	6
6	2	7	3	9	1	8	5	4
5	9	4	8	6	2	7	1	3

207

3	2	5	6	4	9	8	7	1
8	7	6	3	2	1	4	9	5
9	1	4	8	5	7	3	6	2
2	6	1	4	7	3	5	8	9
4	3	9	6	8	5	1	2	7
7	5	8	1	9	2	6	3	4
7	9	3	5	1	6	2	4	8
1	8	2	9	3	4	7	5	6
5	4	6	2	7	8	9	1	3

208

7	5	8	6	3	9	1	4	2
1	9	3	5	4	2	6	8	7
4	6	2	8	1	7	5	9	3
5	3	1	7	6	4	9	2	8
6	2	7	3	9	8	4	5	1
8	4	9	2	5	1	7	3	6
3	8	5	9	7	6	2	1	4
2	1	6	4	8	5	3	7	9
9	7	4	1	2	3	8	6	5

209

			1		9	3	4	
3				8				6
	1					8		
1		9				2	5	
	7	8				1		9
		1					6	
9				7				3
	2	4	5		6			

210

					9		2	
6		1		4				7
			3			8		
	2			3	7		9	
			2		6			
	7		5	9			8	
		9			4			
7				2		6		1
	1		6					

9	1	8	3	5	7	2	6	4
5	7	3	4	6	2	9	1	8
4	2	6	9	8	1	5	7	3
8	5	4	7	1	3	6	2	9
2	3	9	5	4	6	1	8	7
1	6	7	2	9	8	4	3	5
6	9	2	8	7	4	3	5	1
3	8	5	1	2	9	7	4	6
7	4	1	6	3	5	8	9	2

8	4	2	9	6	3	5	1	7
1	6	9	8	7	5	2	3	4
3	7	5	2	1	4	6	9	8
2	5	4	1	9	7	7	8	3
7	3	1	5	8	6	9	4	2
9	8	7	4	3	2	1	5	6
6	1	8	7	4	9	3	2	5
4	2	3	6	5	1	8	7	9
5	9	7	3	2	8	4	6	1

213

							2	
	1			3	4		6	
		4	2					3
7				9				5
	9	5		1		2	8	
1				4				9
9					7	6		
	4		5	6			7	
	2							

214

		9			7		2	
			1	9		3		
5						4		9
			7	3		2	5	
				1				
	5	4		8	2			
8		7						2
		5		2	8			
	1		3			6		

215

		9						1
			2			4	8	
			4	9	3		6	
		2		8			9	
		5	3		6	2		
	1			7		6		
	6		1	4	5			
	5	8			9			
4						9		

216

					9		1	8
6	9	8	2		1			
	1				5			
8		5	7					6
		7				9		
3					8	5		7
			6				7	
			9		7	6	5	4
7	8		5					

217

	1				8	9		
				2		7		
		2		5		4		3
1	6		3				2	
				9				
	4				5		9	6
7		1		8		2		
		5		3				
		8	5				3	

218

		5	6					
9				3		7		
8	3	6		9				
		8		6			9	
			7		9			
	2			4		1		
				5		9	2	4
		4		8				5
					2	8		

219

8	3	7	4	5	9	6	2	1
1	9	2	7	3	6	5	4	8
6	4	5	2	1	8	7	3	9
2	5	1	8	9	3	4	6	7
7	8	4	5	6	2	1	9	3
9	6	3	1	4	7	2	8	5
5	2	9	3	7	4	8	1	6
3	7	8	6	2	1	9	5	4
4	1	6	9	8	5	3	7	2

220

3	9	5	2	8	1	6	4	7
8	1	4	5	7	6	3	2	9
7	6	2	3	4	9	1	5	8
2	3	8	6	1	5	9	7	4
4	7	6	8	9	2	5	3	1
9	5	1	7	3	4	8	6	2
5	2	7	1	6	8	4	9	3
6	8	9	4	2	3	7	1	5
1	4	3	9	5	7	2	8	6

8	2	5	1	3	6	4	9	7
6	1	4	7	9	5	3	2	8
3	7	9	4	8	2	6	5	1
2	9	1	3	5	8	7	6	4
5	6	7	2	4	1	9	8	3
4	8	3	9	6	7	2	1	5
9	3	8	6	1	4	5	7	2
7	5	6	8	2	3	1	4	9
1	4	2	5	7	9	8	3	6

3	2	4	5	8	1	6	9	7
8	7	9	2	6	4	1	5	3
5	6	1	7	3	9	8	2	4
1	5	3	6	4	8	2	7	9
2	9	8	1	7	5	4	6	3
7	4	6	9	2	3	8	1	5
9	8	5	4	1	6	7	3	2
4	1	2	3	9	7	5	8	6
6	3	7	8	5	2	9	4	1

		8		2	1		7	9
2	7		9				8	
9	5	1	7	6	8	4	2	3
8				3				
	9		8		6		5	
				7				8
7		9					4	
					7		9	1
6			2	9		7	3	5

7	6	9	3	5	8	1	4	2
8	3	1	7	2	4	9	5	6
5	2	4	9	6	1	3	8	7
6	1	5	8	3	7	4	2	9
2	8	7	6	4	9	5	3	1
9	4	3	2	1	5	6	7	8
4	5	8	1	9	2	7	6	3
3	9	2	4	7	6	8	1	5
1	7	6	5	8	3	2	9	4

7	4	9	8	8	3	1	6	2
1	2	3	7	6	9	5	8	4
8	6	5	4	2	1	3	7	9
4	5	6	8	7	2	9	1	3
2	1	7	3	9	4	6	5	8
3	9	8	6	1	5	4	2	7
5	3	2	1	4	7	8	9	6
6	7	4	5	5	8	2	3	1
9	8	1	2	3	6	7	4	5

4	5	2	3	1	9	8	6	7
3	9	8	6	4	7	2	1	5
6	7	1	8	5	2	4	3	9
2	3	9	5	7	1	6	4	8
5	8	6	9	3	4	1	7	2
7	1	4	2	8	6	9	5	3
8	6	7	4	9	3	5	2	1
9	4	3	1	2	5	7	8	6
1	2	5	7	6	8	3	9	4

227

7	8	6	2	9	3	1	5	4
4	3	9	8	1	5	6	2	7
1	5	2	6	4	7	9	8	3
3	4	8	9	6	2	5	7	1
9	6	7	5	3	1	2	4	8
5	2	1	4	7	8	3	6	9
2	3	5	1	8	9	7	3	6
8	9	3	7	5	6	4	1	2
6	7	4	3	2	4	8	9	5

228

8	4	1	3	9	5	7	6	2
9	2	7	4	1	6	3	5	8
6	3	5	7	2	8	1	9	4
5	1	9	2	4	3	8	7	6
4	6	8	5	7	9	2	3	1
3	7	2	6	8	1	5	4	9
1	5	3	9	6	2	4	8	7
7	8	6	1	5	4	9	2	3
2	9	4	8	3	7	6	1	5

3	8	1	4	7	2	9	5	6
9	6	2	3	8	5	1	4	7
4	5	7	1	6	9	2	3	8
2	9	3	6	4	8	5	7	1
8	1	6	5	2	7	4	9	3
7	4	5	9	3	1	8	6	2
6	7	9	2	1	4	3	8	5
1	3	4	8	5	6	7	2	9
5	2	8	7	9	3	6	1	4

6	9	1	5	4	7	2	8	3
4	3	7	9	8	2	5	1	6
8	5	2	6	3	1	9	7	4
1	7	4	2	5	6	8	3	9
2	6	5	8	9	3	1	4	7
9	8	3	7	1	4	6	2	5
5	2	9	4	7	8	3	6	1
7	1	8	3	6	9	4	5	2
3	4	6	1	2	5	7	9	8

231

6	8	4	3	9	1	7	2	5
7	5	1	8	4	2	9	6	3
9	2	3	6	7	5	8	4	1
1	6	7	9	5	3	2	8	4
5	4	8	1	2	7	3	9	6
3	9	2	4	8	6	5	1	7
4	7	6	2	3	8	1	5	9
2	1	5	7	6	9	4	3	8
8	3	9	5	1	4	6	7	2

232

3	9	5	4	1	7	6	8	2
8	2	7	6	5	3	1	9	4
1	6	4	9	2	8	3	5	7
2	5	3	7	4	6	8	1	9
7	1	8	5	3	9	2	4	6
6	4	9	2	8	1	5	7	3
9	7	2	8	6	5	4	3	1
4	8	1	3	9	2	7	6	5
5	3	6	1	7	4	9	2	8

2
3
3

4								
	9	8		1	6			3
5		3			9	4	1	
		7		8	2		3	
	2		7	4		1		
	8	4	5			3		1
1			8	2		9	6	
								5

2
3
4

9			6					
		2						
	7		1	2	9	6	4	
					5	7		3
8		5				1		2
1		7	2					
	9	4	7	3	2		1	
						9		
					1			4

122

2
3
5

		1					9	
							7	5
			2		8	1		4
1					4		8	3
		7		2		5		
2	3		8					7
7		9	5		3			
3	1							
	5					3		

2
3
6

				3				
3	6				5		1	
9		4			1	8		
7	9	3					8	
1				9				4
	4					9	7	1
		7	1			4		2
	2		6				9	7
				2				

2
3
7

						9		5
	3		8				6	
	8		9				7	2
1				8			9	
				4				
	7			2				8
6	1				3		2	
	2				7		1	
5		7						

2
3
8

7			9				5	
	6	1						
5				4		7		1
			8			1		6
			3		4			
6		8			2			
4		5		3				7
						8	6	
	8				9			4

239

		6			7	3		4
	8							
	3		9	5		2		
3					2			
		4	3		8	5		
			6					1
		7		3	1		2	
							9	
6		5	2			1		

240

			6	9			8	
3			8			7		9
								4
	7	4		6		3		
6				2				5
		1		4		8	2	
4								
8		3			1			7
	9			3	2			

241

6	9				5			
		5			4	2		
2							5	
		2	7	9			3	
	1			3			6	
	6			8	1	9		
	4							2
		3	1			7		
			8				1	3

242

	7		4					
8				7			6	1
	6			5			3	
	9	6			1			
4			6		5			8
			3			6	9	
	2			4			5	
9	4			6				2
				2			8	

2 4 3

				9		6	5	
	9					1		
5		7		1				4
			9					6
8			1	3	4			9
7				2				
6				2		8		1
		3					4	
	1	4		7				

2 4 4

			2		7	9		
		8	6			5	7	
				1				4
			5			4		7
2			7		3			5
5		7		6				
7				3				
	2	5			9	3		
		4	5		1			

2
4
5

6	9					2	8	
	1				9			
		7		8	4			1
		3	7			4		
				4				
		6			1	5		
4			1	7		8		
			8				9	
	8	1					5	3

2
4
6

7					9		4	5
				1	7	3		
9		3	2			6		
						7		
3	9			7			5	4
		6						
		5			4	8		9
		7	8	9				
8	2		5					3

2
4
7

			9			7		3
							2	
7		1			3		8	
		4		8	5	9		
	7		2		9		3	
		8	3	4		2		
	2		4			6		7
	4							
1		3			2			

2
4
8

			3			9		
7		5		8		4		
	3						2	7
				2			5	
2		6		4		7		8
	4			3				
6	5						8	
		7		9		6		2
		9			3			

249

		6		3				
2	3		7					
	7	5		2				1
			2				3	9
		3	6	1	9	4		
5	9				3			
3				9		7	8	
					5		4	2
				7		6		

250

			6		2			
				3	4			
						8	4	3
6		3			5		1	8
4	8						3	9
1	9		4			6		7
9	1	8						
			9	4				
			1		7			

251

		1	2	8		5	3	
						9		
2	5			7			8	
	6			9	4		2	
1								5
	4		5	3			6	
	2			1			4	3
		6						
	1	7		6	3	2		

252

	8				4			
9		6	3			8		
		5			9			4
					1	6		
2		3				9		8
		9	8					
3			2			4		
		4			7	2		3
			1				8	

253

		3	1		4		9	
2						1		6
6							4	
7			6				1	4
		1				6		
8	3				9			5
	9							1
3		7						8
	2		8		7	4		

254

4	9		2					
			2	7	6		8	
		8				7		
9					2			7
2			5		7			8
8			4					5
		6				3		
	4			7	9	6		
					6		7	1

2
5
5

4		9					1	
					7	9		6
2		3			6			
	3		5	6			9	
	1			8	2		5	
			1			5		2
6		5	7					
	2					4		9

2
5
6

		8		6			1	
1					2			
	5			1		6	3	2
3						9		
	7			9			4	
		2						7
5	2	9		3			7	
			6					9
	6			5		8		

2
5
7

		9	6		8	1	2	
1			7		4	6		
4			3			8		
5	3						7	2
		8			2			3
		5	4		7			8
	8	3	5		6	7		

2
5
8

1	3		8		5	6		
		6		2				1
	2			4		5		
	8							
6		9				8		5
							3	
		2		5			4	
8				3		9		
		1	6		2		5	7

259

				8				7
	9					5		
2	3	7				4		
		3	6	9				
9	5		7		2		4	3
				3	5	1		
		4				6	3	8
		9					5	
1				7				

260

2						5		
			9		4			3
			8			7	1	
		8					5	1
7	6						2	8
3	5					4		
	1	5			7			
9			1		8			
		7						4

261

				9	6		3	8
2				3	8	6	7	
							2	
		1			9		4	
				7				
	5		6			9		
	3							
	6	8	9	2				3
7	4		3	1				

262

		8					6	5
			5	3				9
			6			4	7	
2	1		7			9	5	
	5	9			4		3	7
	7	1			6			
3				5	2			
5	6					8		

263

2								
		8		4	6		7	
4				3		9	8	
9			5					
		3	9	2	4	1		
					3			7
	1	9		5				6
	2		8	6		7		
								2

264

							9	
		3	2	9				1
		9			7	6	3	
		1	9			3		
	8			6			5	
		5			4	7		
	1	8	3			4		
9				5	1	8		
	7							

265

				7			4	
1	8					3		
3			9				5	
8					5			9
			1	3	8			
5			2					1
	3				7			6
		2					1	5
	5			9				

266

	9					2		
	3	2			8		9	5
1				9	6	8		
2					3			
				1				
			6					3
		7	9	6				2
9	2		4			6	8	
		4					5	

		1	9			3		
2						9		6
9		6		5				
3	6	2	7					
4			2		3			9
					5	2	1	3
				1		8		7
5		9						4
		4			9	6		

		6		7	5	1		
		7					2	5
8							6	
		5			7		1	6
6	9		1			3		
	8							9
9	7					5		
		1	9	4		2		

269

			9		4			
				2			7	
4	1		3					9
	8			7			2	
	2	3				8	1	
	6			1			4	
5					6		8	2
	3			4				
			8		9			

270

	7	5		4	9			
6	3			7		4		
							6	
3				6	1	9		5
8		4	2	3				6
	5							
		2		8			5	4
			3	5		6	1	

271

	9			6	2			
		3			7	5		9
		1						
					9		7	
	4	7		8		6	1	
	8		7					
						7		
1		2	8			3		
			2	3			6	

272

					4	1	7	
		1	6		2		3	
9					3		5	
3	9	2					1	
				5				
	5					6	2	7
	6		3					9
	3		8		9	5		
	1	9	4					

273

						9	1	3
9			3			8		
					2		6	
2	1			4				
3	7			1			4	9
				7			3	1
	9		6					
		8			4			7
6	2	4						

274

	8	3		9				
		9						6
6					4	8		
	1			6	3			2
		4				6		
3			5	1			9	
		8	6					5
5						9		
				4		3	6	

275

8		2				5		
								6
	5			1	9			
	9					8		4
	8		7		1		2	
6		4					3	
			6	3			8	
4								
		1				9		5

276

2		7			8	5		
				4				
8	5				6	1		
3							5	2
5				7				4
6	8							1
		8	9				1	5
				8				
		5	3			8		7

277

1		8			5			
	6			1				
7		3	2				1	9
	7				3			4
8								7
3			9				5	
5	8				2	6		1
				9			8	
			7			4		5

278

			3		1			
7		3				5	1	
		8		2				
	5		1					2
		2	5		8	4		
6					2		9	
				4		3		
	9	7				2		4
			6		9			

279

	9		2	6				4
4			8				7	
	5					6		2
6	1			9				
			5		4			
				8			3	1
2		3					1	
	4				8			7
7				2	5		9	

280

4	5		2				7	
9		6		1		8		
			5			9		
				3				
	7		9		6		3	
				7				
		9			4			
		3		8		5		6
	6				9		4	1

3		9				6		
	1		6				7	
					9		5	
4				8	5		6	
	7			3			8	
	8		1	7				4
	6		3					
	5				8		4	
		2				8		1

		7	8				3	5
4		5	1				8	
	6					2		
	2		4				6	
5								7
	7				9		2	
		2					9	
	9				2	8		6
6	5				1	7		

283

		5	3			2	9	4
3	7		4	8				
4								
		1					5	8
	4						6	
9	5					4		
								6
				1	5		8	2
1	3	6			8	5		

284

	5						1	
	9	6			3			8
			2		9		6	
		1	7					6
		9		5		7		
7					6	4		
	3		6		8			
2			1			6	9	
	1						4	

285

	6		5					
2		9		6	7	1		
				2	9			8
7					2			
	2	5				8	4	
			6					9
3			9	5				
		2	7	8		4		3
					3		8	

286

				5	4	8	7	2
		3		9		5		
	4		7			9		
		7					5	
3								4
	8					6		
		1			5		3	
		8		1		7		
7	3	5	2	4				

287

	8					6		
		1		9	5		8	
2					6			7
			7				6	
		6	9		3	5		
	3				4			
9			2					1
	1		3	5		9		
		8					2	

288

	3	4				8		
					5			1
	6	5						4
	2		6		9	5		
				8				
		6	7		2		3	
6						1	2	
7			5					
		9				7	4	

289

		6	5					9
	8		7	2				
	9	4			8			
3			2				8	
				5				
	5				1			6
			8			4	6	
				9	7		3	
5					2	1		

290

		9		5		1		
6			3					7
			6	9	2	4		
	5			2			3	
		2				7		
	6			4			1	
		8	1	6	9			
3					4			2
		7		3		6		

291

4	6				1	2		9
	9				3			
		8						6
			3	2		9	6	
			4		9			
	1	9		5	8			
2						6		
			7				3	
3		4	1				8	2

292

						4	9	
			2	6	4		1	
4			9				3	
9		7		4				
5	2		3		1		4	7
				8		5		9
	9				7			1
	5		1	2	9			
	7	3						

293

3								7
	2	7						6
					4		1	8
				1	5	6		
	3	4		6		1	5	
		6	3	9				
4	6		2					
9						8	4	
7								5

294

		5						
	7		6	2				
4			1				9	7
		6	7				4	
8		7		9		1		6
	2				5	9		
2	8				9			1
				7	1		3	
						2		

295

4			5	6			9	
1	9		2			6		
		7				4		
8	3		4			5		
		2			6		4	7
		5				8		
		1			3		5	6
	4			1	5			2

296

					8		3	
	7			9		4		1
3				4			2	
7	9	1				8		
		3		6		7		
		6				1	5	9
	3			2				8
4		9		8			7	
	6		3					

297

7				6			3	
	9				1			
	4					2	7	
				1		3		6
8	6		7		3		2	4
3		5		2				
	8	7					9	
			1				6	
	5			8				3

298

8			2			4		7
	3				7		9	6
		7			4			
		8						4
7			6		9			8
1						7		
			1			9		
9	1		8				7	
6		3			5			1

299

	5	9	6					7
8					4	1		
			7				6	
	3		8				2	
9								6
	8				6		9	
	4				5			
		2	4					5
6					3	9	8	

300

		1				8		7
2			4			5		
	3		7		2			9
	2				6		9	
				3				
	1		9				4	
5			3		7		8	
		4			9			1
1		9				3		

301

	6			8	5	2		
		7					3	
	9		2	1				6
1			4	2				
			1		9			
				5	6			3
6				7	8		4	
	3					8		
		2	3	4			6	

302

6	3				8		4	7
				2	7	6		
							8	9
	6			4		1		5
9		1		6			3	
7	9							
		3	7	8				
2	4		9				7	8

303

	6				7			4
			6	5		9	2	
		5		2		1		7
6	7	8						
						8	4	9
4		7		6		3		
	5	3		8	2			
2			3				5	

304

			1	4				
7	2		8			3	1	
6		1					2	
5			4		6		3	
	3		9		5			6
	7					5		3
	8	3			7		6	9
				8	1			

305

4		1		3				
			4					7
	9			8		3		
7	1				8		2	
		3	7		2	9		
	2		5				7	4
		6		2			3	
8					1			
				6		7		1

306

2		7		4		8		
9	4			6	3		2	
	8	3	5					
7	5			8			3	2
					6	5	8	
	2		8	3			5	9
		1		5		2		4

307

3		8		7	4			
	6							
9				6		2		
1			6				8	
	3		4		7		1	
	8				3			7
		9		5				1
							9	
			7	9		8		4

308

	3						9	
1			6		9			7
		9	3		8		1	
9			2					4
	7						5	
3					1			8
	6		8		4	9		
5			7		3			2
	8						6	

309

				6		4		5
		4		2	9			
1			7		4	2		
	3						8	
		8		4		9		
	4						6	
		3	4		2			1
			5	7		8		
7		2		8				

310

	7		9			5		
				4	8	9		
1						3		6
		4			9		7	
			4	5	7			
	9		2			4		
8		6						5
		7	8	2				
		1			5		2	

311

			5		6		7	
9					2	5		
	3					2		6
1	4			3	8			
			2		7			
			4	1			8	3
8		3					5	
		7	8					1
	5		7		9			

312

		1			6	5		2
	6							7
			7	9			3	
	8	4	2			7		
	2						8	
		6			5	1	2	
	1			2	3			
3							6	
6		7	5			2		

313

	2	8	9	4				
4		6						9
			1		2			
	4		6				7	
		1		9		2		
	5				4		6	
			8		3			
7						8		2
				1	6	5	9	

314

2		1			6	9		8
						1	4	2
				2				
8	5				7	2		
1	7						8	9
		2	4				1	5
				8				
6	3	5						
4		8	6			3		1

315

3			7	6				
		9	8					7
	6				2		8	
2		3		9				
5								2
				2		7		9
	5		1				4	
6						8	2	
				5	9			1

316

		3			2			4
			1				5	
	2	4				1	7	
		6			9		2	
			2		6			
	8		4			7		
	5	1				3	6	
	7				3			
3			6			4		

317

4	9				2			
1		3						
5	2		1	4			3	
	7	5					8	
			6		5			
	1					5	7	
	8			1	9		5	7
						9		8
			3				6	1

318

	7			4				
	3		9					
9			5	8				
7	6				8		2	1
8	4			1			3	6
3	2		4				9	8
				9	4			2
					5		8	
				2			6	

319

		4	9	6				3
	1		3					9
	8			1				
							4	6
9	4		6	7	8		5	1
7	6							
				4			9	
4					3		7	
8				9	5	6		

320

		5	6					
4	9				8			
1				3			2	
		7			5			3
3			7		1			2
5			9			1		
	6			1				7
			3				1	9
					6	8		

3
2
1

		8				5	1	
		4			1		8	6
2			8	6				
4	3			7				
		2	6		4	7		
				9			2	4
				5	6			9
5	4		2			6		
	9	7				2		

3
2
2

	1				4	6		9
	7		1			3		
		4		9				
2			5				1	
	5	7		8		9	3	
	8				3			6
				6		7		
		8			1		6	
6		1	4				9	

323

			4			6	2	
4	7		1			9	8	
				7			4	1
		8						
2	5		6		7		1	4
						5		
9	2			1				
	8	7			4		6	2
	4	5			3			

324

			2	9				
	8	5			4		9	
		9		5		6		1
	2					4		7
5								8
7		8					6	
6		1		7		9		
	5		9			1	3	
				4	8			

325

1				3	2	6		
		5				1		3
			9				4	
					8	5	1	
8			2		7			9
	5	3	1					
	8				1			
6		4				7		
		2	5	7				8

326

4	8		7					2
	5							
		9			8	1	5	
			1				3	5
		3	8		7	2		
2	4				9			
	2	1	3			8		
							2	
8					4		1	3

327

	9		1		2	3		
6				5			1	
4							7	2
				7	1	4		5
1		5	4	9				
5	2							9
	7			1				3
		3	5		9	6		

328

2	6	1						8
							4	
5		4	2					3
		9		3				
	2		8	6	9		3	
				7		5		
6					3	9		4
	7							
9						8	7	5

329

	6					2		3
3			8		2	6	9	
	2						7	
				5	4			
6			1		9			7
			7	3				
	5						8	
	8	7	5		6			9
9		3					2	

330

	6	3		9		1		
1				4				
4	5		2					3
	1			2	5	6		
	2						3	
		5	6	8			2	
2					7		1	6
				6				4
		6		3		2	7	

331

5					7			
6						1		
			9		3	5		2
8			6		2		3	
		4		3		8		
	2		5		1			6
9		8	2		4			
		1						8
			8					4

332

	6		2		1		7	3
				7	9			6
5						8		
1	7			8				
				2			6	7
		9						1
7			3	9				
3	2		6		7		9	

3
3
3

				3		7		
			1			8	4	5
				4	8	2		
		8				4	7	
7		9				1		3
	6	3				9		
		2	8	1				
8	3	6			2			
		1		6				

3
3
4

	4				3		7	
				5				8
2	8		1					
8				6	4		1	
4	6			2			8	5
	1		5	7				9
					5		9	1
6				3				
	5		7				2	

335

8		5			1			4
				8				5
		1	3			8		
					5		2	6
		4	7		6	3		
9	6		2					
		2			3	7		
1				6				
5			1			2		8

336

		1						
2					3		9	
8	9		1	2				
3	5		6				2	
		8	9		1	3		
	7				8		5	4
				8	2		3	9
	8		7					5
						4		

337

		9					4	
3				5	4			2
		5	7			9	8	1
	9				5	2		
				9				
		3	1				5	
9	3	6			2	1		
7			6	1				3
	1					4		

338

	7	1	9		4			
	8					9	6	
				6		4		
			2			8		
8		6		4		2		5
		4			6			
		5		9				
	4	8					2	
			8		1	5	7	

339

	5		1	6		7		
		8			9			5
9					4	8		
	7		2			4		
			8		1			
		3			6		1	
		5	9					8
8			3			6		
		1		8	7		9	

340

9			1			2	5	
			6					9
		8				6		
			5		7	1		8
	6						3	
1		2	4		8			
		4				3		
5					6			
	8	7			5			2

341

1	2			9			4	
	9						7	
7		3	2			1		
			1	2	7	4		
		8	6	5	4			
		7			9	8		4
	1						5	
	3			6			1	9

342

						8		5
	5			2	6	3		
	3		5					
				7	2		6	
	6	9		3		2	1	
	1		9	6				
					4		3	
		6	2	9			5	
1		2						

3
4
3

		1	6	8	3			
			2			4		
2						6		1
						7	8	
8			3		4			2
	7	5						
5		9						7
		3			9			
			5	1	7	9		

3
4
4

	1		7		6	9		4
			9	2			1	3
3		4					9	
		7	2		1	3		
	2					7		6
5	6			4	2			
2		3	1		8		6	

3
4
5

3	5			4		2		
9				6		1		
		1	8					3
	4							2
		9	5		1	4		
2							9	
7					6	3		
		2		3				9
		3		8			1	7

3
4
6

					8			
4	1					7		
					6	3		5
	9	4	8	3			2	
1								3
	2			5	7	8	1	
6		9	2					
		1					5	4
			5					

3
4
7

	2		6	5				3
4		6					2	
	8		4	2				
		5		3				9
		1	5		6	8		
6				9		3		
				1	4		3	
	1					6		4
8				6	2		5	

3
4
8

4						1	8	
	1		7	5	8	2		
						3		
	6		2	1				9
			6		7			
2				9	4		3	
		6						
		4	8	2	9		6	
	3	2						1

349

					1	2		
					5			1
		5	6	2			8	
4		9		6			3	
	3	6				4	5	
	2			3		8		6
	6			7	9	5		
7			2					
		2	3					

350

		2	5	1		4		
5								7
6				8	7		9	
	9		8	6				3
			3		1			
3				7	5		6	
	6		1	5				4
1								6
		5		4	3	9		

3
5
1

	2							
	8		2	1				6
		3	5	8	6			
				4				9
3	7						2	5
5				7				
			4	2	9	8		
7				6	8		4	
							9	

3
5
2

1	7		3	8		6		
	5		4		1			
8				7		1		
	8						9	6
		7				5		
5	3						1	
		5		3				8
			8		6		4	
		8		9	7		6	5

353

		7	6				1	
5				1	4			
8	1							
7			1	3			6	
1								2
	3			7	6			5
							9	3
			5	9				1
	5				7	4		

354

						5	2	
			5	3				
	9	5			8			1
4						2	7	
	7	3		4		8	1	
	1	8						6
1			2			3	4	
				7	1			
	8	7						

3
5
5

		6		9		5		
9			1	3		8		
8			6				1	
							4	2
	8			2			6	
2	3							
	1				9			4
		5		4	1			8
		8		7		1		

3
5
6

		5		3		4		
	8				9			
						6	7	
1				8			6	
8			6		5			2
	3			2				8
	5	9						
			7				2	
		2		9		3		

3
5
7

								3
7	6			9				2
			4		1		6	5
5		1	6		7			
				4				
			3		5	1		7
1	3		7		6			
8				3			4	1
2								

3
5
8

							2	
6	8			9	3			
5				4	8	9		
7		9	6					8
	1						4	
2					4	6		7
		4	3	6				9
			8	2			6	5
	6							

359

	9				1			
1					9	5	4	
3				6				
	1		9	2				3
		6				7		
9				1	6		2	
				3				2
	2	8	7					4
			6				7	

360

3					1	5	6	
			9					7
		4		2			9	
		2		3			4	
8								9
	1			9		8		
	6			8		7		
4					2			
	3	8	4					1

3
6
1

						2		
2			3				6	8
		6			8		3	1
			4	9		1		
	4			8			7	
		9		3	7			
6	2		5			9		
5	9				6			4
		4						

3
6
2

1	2	8					6	3
		5		6			4	
					5			
	7	9		3	2			
		4				3		
			7	9		4	2	
			2					
	4			8		9		
5	8					2	1	4

363

7				5		1	8	
1					4	5		
			6		1		3	
	8	7				4		
			9		7			
		5				9	1	
	9		3		6			
		4	8					1
	7	3		4				9

364

	3					5		
		7		4	3			
6		9		5	8			
1	5			7				3
	2		3		5		7	
7				6			8	5
			5	1		4		9
			6	3		8		
		5					6	

365

1		5		8		2		
			5			1		9
	4		9				5	
						4	2	
7	5						3	8
	3	4						
	6				8		7	
5		3			6			
		7		2		9		5

366

			3	7			2	
				1	8			
						5	3	
9	3						4	7
6				9				1
8	5						6	2
	4	6						
			7	3				
	8			6	9			

3
6
7

			8			7		5
	6			2	5			
			3				2	
3			9		2	1		
	2						5	
		4	6		7			8
	5				9			
			2	8			4	
4		7			3			

3
6
8

			8					
1	7	2				8		
		5			7	2	6	
	3				4	6		
5			3		2			8
		7	1				5	
	5	1	7			4		
		8				1	2	5
					1			

369

	6			3		8		
1		8	5				9	
								3
		2		5	3			
3			7	2	6			9
			1	4		7		
6								
	9				5	3		6
		4		6			7	

370

		5				8		1
			5			3		4
				3	8		7	
				7	9	4	5	
2								8
	5	3	6	8				
	9		4	1				
3		2			7			
7		8				5		

371

	9	4			6			
	7	2		3				
			2				3	
6					3	8		9
				5				
9		3	8					7
	1				2			
				1		9	8	
			4			2	5	

372

			4	9				
	8	3	7					
2	7					1		9
		9					7	
		8	9	6	1	5		
	3					9		
5		6					2	3
					9	4	5	
				2	5			

373

		8		5				
	2			4	3			
5			2				8	
4		1			2	5	6	
	9			3			4	
	8	3	4			7		1
	5				8			2
			6	1			5	
				2		8		

374

			7	8				1
			4			9	8	
					1	7		6
4	7				6		2	
	3		1				9	5
5		8	3					
	6	4			7			
3				1	9			

375

			3	6		5	2	
	3							8
	9							
	6		5			2	7	
2				8				1
	7	3			2		4	
							1	
7							5	
	1	6		2	4			

376

					8			
8		6			2	9		7
	2					8		5
1		3	2		4			6
	5						8	
6			9		5	3		2
4		5					2	
3		2	7			4		1
			4					

377

		3			2	5		
							8	
		7	4					6
2				6	4			5
3								8
6			5	9				7
8					6	9		
	9							
		5	1			4		

378

					2	5	3	
	4				5		9	7
	7			9				8
		3		4	9			
		4				2		
			7	3		8		
1				2			5	
4	6		1				8	
	5	7	9					

379

6					9	8		
	4		8					
		2				6	4	
		9		2			8	
	3		6		8		7	
	1			7		3		
	5	7				1		
					1		9	
		6	5					7

380

					8			
5	2	7			1			
3	1		7	4				
4	9	2					1	
	8						3	
	3					2	4	9
				8	6		2	1
			1			4	9	6
			9					

381

	4			9		6		
				5	2			1
	6						9	
	2			5	1	9	6	
4								3
	9	6	4	3			1	
	5						2	
6		3	5					
		7		4			5	

382

8			4			3		
6		3	9			1		
					7		8	
	8			2	6			
4		2		5		7		8
			1	4			5	
	4		2					
		7			4	5		3
		8			5			7

383

				1		2		
2			3		9	7		
						1	9	3
	5		7	6				
		8	1		3	6		
				2	4		5	
3	8	9						
		7	8		2			9
		5		9				

384

		5	8				4	
	3			4				5
9	6				3	7		
5		3				6		
			6		4			
		9				8		4
		7	5				2	6
3				7			1	
	1				9	5		

1					4	9	5	
7	4			5				1
8		5		1				
		4						9
			7		8			
2						4		
				6		1		5
4				3			6	8
	1	6	8					3

2	1		8			3	4	
8								
			4	2	1			
		5	1					4
3				7				6
1					4	9		
			5	3	9			
								9
	5	7			2		8	3

387

					5		3	9
				6				
3			4				8	2
		8		2		7	4	
		6	3		8	9		
	9	1		5		8		
8	2				1			7
				8				
9	6		5					

388

4	6	7		3				
						3		
1	5			8		6		9
	7	6	3					
				6				
					9	2	8	
6		5		9			1	4
		2						
				7		5	2	3

389

		1	8		6			3
2								
3		7	5	2		1		
	5					3	4	8
8	3	6					7	
		8		5	9	2		1
								7
6			3		7	8		

390

7	1					8		
		3	2		1			
5			7					2
2		4		3				
			4		9			
				7		9		5
1					5			6
			9		7	2		
		9					5	4

391

			9		6			5
			3					7
		1	2				6	
		8				5	3	6
	9	6				1	7	
5	1	3				2		
	4				7	3		
6					3			
8			4		5			

392

				3		7		
6			1		8		5	
	2				6		1	4
2				8			9	
			4		1			
	1			6				5
7	3		8				6	
	4		6		7			8
		2		5				

393

					2	9	4	
3			4	5				7
2							5	
				8		1	3	
				1				
	2	7		6				
	4							9
5				9	6			1
	3	1	8					

394

		9				7		
	2			8		1		4
					2			9
3	4		6	5				
				2	7		5	3
1			9					
7		5		4			8	
		3				5		

395

							2	9
	1	3						
2	8		5					7
	6				4			
8				7				6
			2				8	
6					1		5	8
						7	3	
9	4							

396

	4	5	3	9				
9								3
	3	8			2			
	7		6				2	
3				1				9
	6				9		8	
			8			6	3	
4								8
				7	4	9	5	

397

	2	5				3		
9					8			
1			5					9
				3	6	1	2	
		7		1		5		
	1	6	8	4				
5					9			3
			6					2
		3				7	9	

398

		7						
		8		5	3			7
2	5							8
3	7			2	9		6	
				4				
	4		3	6			1	9
7							9	5
1			4	8		7		
						1		

5	2	8	6	4	7	3	1	9
7	4	6	1	9	3	5	2	8
1	3	9	8	2	5	7	6	4
4	5	7	3	6	1	9	8	3
3	6	1	9	7	8	4	5	2
9	8	2	3	5	4	1	7	6
2	1	3	5	8	9	6	4	7
6	9	4	7	1	2	8	3	5
8	7	5	4	3	6	2	9	1

7	8	9	3	5	2	1	4	6
2	4	1	7	8	6	9	5	3
6	5	3	9	4	1	2	7	8
4	6	8	1	3	9	5	2	7
1	7	5	8	2	4	6	3	9
3	9	2	6	7	5	8	1	4
9	2	6	4	1	3	7	8	5
8	1	4	5	6	7	3	9	2
5	3	7	2	9	8	4	6	1

Puzzle 401

3	8		7	4	9	5		6
	1		3	8	6	4	7	2
7	4	6	2			3	9	8
2			8			6		3
8					3		2	
1		3			4		8	
5		7	9		8		6	4
6	9		4			8	3	
4		8	1					5

Puzzle 402

1					9	4	6	3
9	3			4	6	7		1
4			1		3	8		
7			6	1		5	3	
6	1	4	3	2	5	9		7
8	5	3	4	9	7	2	1	6
5			7		2	3	4	5
3	7	8		6	4	1	9	2
2	4			3	1	6	7	8

7	4	2	5	3	9	8	1	6
8	3	1	4	7	6	5	9	2
6	5	9	8	1	2	4	7	3
4	1	6	2	9	3	7	8	5
9	2	8	1	5	7	6	3	4
3	7	5	6	8	4	1	2	9
1	9	3	7	4	5	2	6	8
5	6	7	3	2	8	9	4	1
2	8	4	9	6	1	3	5	7

2	4	3					5	
			5	3	9			
			2					7
			8	1	7		4	6
6		4	9	2	3	5		1
	1		6	4	5			
7	5	1		3				
			1	5	2			
	3		9			6	1	5

405

7	9	8	1	2	6	5	3	4
2	5	3	7	4	9	8	6	1
6	1	4	3	5	8	7	9	2
8	7	1	2	6	4	9	5	3
5	6	9	8	3	1	4	2	7
3	4	2	5	9	7	6	1	8
9	8	5	4	1	3	2	7	6
4	3	6	9	7	2	1	8	5
1	2	7	6	8	5	3	4	9

406

4	1	6	3	5	9	2	7	8
5	3	7	1	8	2	9	6	4
2	8	9	6	7	4	5	1	3
6	5	4	8	2	3	7	9	1
8	7	1	5	9	6	3	4	2
9	2	3	4	1	7	6	8	5
7	4	8	2	6	5	1	3	9
3	6	2	9	4	1	8	5	7
1	9	5	7	3	8	4	2	6

407

7			1	5	2			8
	5	8	3		7	2	6	
	2	3			8		7	
	9		7				2	
		2				6		7
	7			2	3		1	
	8		4	7			2	2
	6		2	3			7	8
2		7	9	8	5			6

408

6	3	1	2	5	7	9	8	4
9	5	8	3	4	1	7	6	2
7	2	4	6	8	9	1	3	5
4	6	2	8	1	3	5	9	7
8	1	3	7	9	5	2	4	6
5	7	9	4	2	6	8	1	3
1	4	6	3	3	8	6	4	9
3	9	7	1	6	2	4	5	8
2	8	5	9	7	4	3		1

409

9		6		1				5
	8		3	4				1
		1			5			
6			1	3		9		
		8				2		
		4		5	2			6
			4			5		
1				8	9		6	
8				2		1		7

410

8							6	
			3				8	1
6		4		7				
		7			1	8	2	
	6			2			1	
	2	1	4			3		
				1		7		5
7	3				5			
	9							8

411

1	7	3	4	6	9	8	2	5
9	5	6	8	1	2	3	4	7
4	8	2	3	7	5	1	9	6
5	9	8	1	2	3	7	6	4
7	3	4	6	9	8	5	1	2
2	1	6	5	4	7	9	8	3
8	6	5	2	3	1	4	7	9
3	2	7	9	8	4	6	5	1
1	4	9	7	5	6	2	3	8

412

7	9	3	8	4	6	5	1	2
8	2	4	5	1	3	6	9	7
5	6	1	7	2	9	8	3	4
6	1	7	2	8	4	3	5	9
2	5	8	3	9	7	1	4	6
3	4	9	1	6	5	2	7	8
1	8	5	4	7	2	9	6	3
4	3	6	9	5	8	7	2	1
9	7	2	6	3	1	4	8	5

1	6					8	7	3
9	3	8		7	1			
7	4							1
1	9	6		2	5	7	4	3
5	7	3	1		4	2	6	8
2	8	4	7	6	3			9
4								
3				1		6	8	
8		7					9	5

7	1	2	8	3	9	4	5	6
5	6	9		2		3	8	
4	8	3		5		9		2
2	4	6		7	3	1	9	8
9	3	1	2		8	5		
8	7	5	9	4		6	2	3
6	5	7		9				
3	2	8		1		7		9
1	9	4	7				6	

1	8	5	3	7	9	6	2	4
7	4	9	5	6	2	1	8	3
6	3	2	4	8	1	9	5	7
5	9	4	9	3	7	8	1	6
8	9	7	1	5	6	4	3	2
3	1	6	2	4	8	7	9	5
4	6	1	8	2	5	3	7	9
2	7	8	6	9	3	5	4	1
9	5	3	7	1	4	2	6	8

2	7	8	9	5	3	1	4	6
6	5	3	7	1	4	2	9	8
1	4	9	6	2	8	7	3	5
5	6	8	4	9	1	3	7	2
4	7	2	2	8	5	6	1	9
8	9	1	3	7	6	8	5	4
7	8	5	1	4	2	9	6	3
9	2	6	5	3	7	4	8	1
3	1	4	8	6	9	5	2	7

417

5	2	9	6	3	8	4	7	1
6	8	1	2	4	7	9	3	5
4	7	3	5	1	9	2	8	6
1	5	4	9	2	3	7	6	8
7	6	8	1	5	4	3	9	2
3	9	2	7	8	6	5	1	4
8	3	6	4	9	2	1	5	7
2	1	7	3	6	5	8	4	9
9	4	5	8	7	1	6	2	3

418

1	9	8	4	3	6	7	5	2
4	2	3	8	5	7	1	9	6
6	7	5	1	9	2	8	3	4
3	6	1	2	4	5	9	8	7
5	4	2	7	8	9	3	6	1
9	8	7	3	6	1	4	2	5
8	1	9	6	7	4	2	5	3
7	5	6	9	2	3	1	4	8
2	3	4	5	1	8	6	7	9

419

7	4	5	3	9	8	1	2	6
2	6	9	7	1	4	3	5	8
3	8	1	5	6	2	4	7	9
4	1	2	9	8	7	6	3	5
8	7	6	4	5	3	2	9	1
9	5	3	6	2	1	7	8	4
1	9	7	2	4	5	8	6	3
5	3	8	1	7	6	9	4	2
6	2	4	8	3	9	5	1	7

420

1	2	8	7	9	6	4	5	3
7	6	3	4	2	5	9	1	8
9	4	5	8	3	1	2	7	6
2	7	9	1	6	4	3	8	5
4	8	6	2	5	3	7	9	1
3	5	1	9	8	7	6	2	4
6	1	7	5	4	9	8	3	2
8	9	4	3	1	2	5	6	7
5	3	2	6	7	8	1	4	9

421

			8	7		3		
9	8					7	5	
4	7	3	5		2	8	6	
	9		3				2	7
2	3	7	1		5		8	6
8				8	7		1	
	5	9	7			6		8
7	2	8					4	5
		4		5	8	7		

422

7	8	5	9	1	2	3	4	6
6	1	3	4	7	8	5	2	9
9	4	2	3	5	6	8	7	1
5	9	1	6	4	3	7	8	2
4	6	7	8	2	5	1	9	3
2	3	8	7	9	1	4	6	5
3	7	4	1	6	9	2	5	8
8	5	9	2	3	4	6	1	7
1	2	6	5	8	7	9	3	4

5	7	4	1	9	2	6	3	8
8	3	1	4	6	7	9	5	2
2	9	6	8	5	3	7	4	1
3	2	9	7	4	1	8	6	5
1	8	7	6	3	5	2	9	4
4	6	5	2	8	9	1	7	3
7	1	3	9	2	4	5	8	6
9	4	8	5	1	6	3	2	7
6	5	2	3	7	8	4	1	9

4	9	6		5			1	
7	2	1	8	4				
5	8	3		1			4	
8	3	7	2	9	4	1	6	5
1	5	9		8		2	7	4
2	6	4	5	7	1	3	9	8
3		2		3		6	8	9
6		5		2	8	4		1
9		8		6			2	

425

5	6	1	7	4	2	8	9	3
9	2	7	6	8	3	1	4	5
8	3	4	5	9	1	6	2	7
1	9	2	4	5	8	3	7	6
4	7	8	1	3	6	9	5	2
6	5	3	9	2	7	4	8	1
3	1	5	8	7	9	2	6	4
7	8	6	2	1	4	5	3	9
2	4	9	3	6	5	7	1	8

426

4	3	6	2	9	5	7	8	1
1	7	2	8	4	3	5	9	6
5	9	8	1	7	6	3	2	4
9	6	7	5	8	4	1	3	2
2	5	3	9	1	7	4	6	8
8	4	1	3	6	2	9	5	7
7	1	5	6	2	9	8	4	3
3	2	4	7	5	8	6	1	9
6	8	9	4	3	1	2	7	5

6	3	2	5	1	8	4	9	7
4	1	5	3	7	9	8	6	2
8	7	9	2	4	6	1	3	5
3	2	6	7	5	4	9	1	8
1	9	8	6	3	2	5	7	4
7	5	4	9	8	1	3	2	6
9	6	3	4	2	5	7	8	1
2	4	1	8	9	7	6	5	3
5	8	7	1	6	3	2	4	9

4					9		8	
8			4			1		6
2				1	8		4	
	6	2	3				5	8
		7	8		1	4	6	
9	8	1	5	4	6	3	7	1
			1	8				3
1		8			3			
			9			8	1	4

1	3	2	8	7	6	5	4	9
8	4	6	1	9	5	7	2	3
9	5	7	4	3	2	1	6	8
3	7	4	6	8	1	2	9	5
2	8	1	9	5	4	3	7	6
5	6	9	7	2	3	8	1	4
6	2	3	5	1	9	4	8	7
7	9	5	2	4	8	6	3	1
4	1	8	3	6	7	9	5	2

7	2	5				1	6	3
3			1	5	2			4
	1		6	7	3	2		5
8				1			2	6
	3	2	4	6	7	5	1	9
1	5			2				7
		3	7		1		5	2
5			2	4				1
2		1					4	8

431

2	4	5	6	8	9	1	7	3
1	8	6	4	7	3	5	2	9
7	3	9	2	5	1	8	6	4
4	9	2	5	6	7	3	1	8
3	5	8	1	2	4	6	9	7
6	1	7	3	9	8	2	4	5
5	2	4	7	3	6	9	8	1
8	7	3	9	1	2	4	5	6
9	6	1	8	4	5	7	3	2

432

7	9	8	4	5	2	6	3	1
1	6	5	8	3	9	4	7	2
2	4	3	7	6	1	9	8	5
8	5	2	1	9	3	7	6	4
9	1	4	5	7	6	3	2	8
6	3	7	2	4	8	1	5	9
5	8	9	3	1	7	2	4	6
4	7	1	6	2	5	8	9	3
3	2	6	9	8	4	5	1	7

4
3
3

4	9	2	7	1	3	5	6	8
8	3	1	2	5	6	9	4	7
5	6	7	8	4	9	2	3	1
6	2	8	9	7	5	4	1	3
7	5	4	6	3	1	8	2	9
3	1	9	4	2	8	7	5	6
9	8	5	1	6	2	3	7	4
1	4	3	5	8	7	6	9	2
2	7	6	3	9	4	1	8	5

4
3
4

6	2	3	4	1	7	8	5	9
4	9	7	3	5	8	2	1	6
5	1	8	6	9	2	3	7	4
7	5	9	8	3	4	1	6	2
8	4	6	2	7	1	9	3	5
1	3	2	9	6	5	7	4	8
2	8	1	7	4	6	5	9	3
3	7	4	5	2	9	6	8	1
9	6	5	1	8	3	4	2	7

435

5		2	3				6	
6					5		3	
		8			6			
				4		7	2	
			5		9			
	6	1		2				
			7			2		
	2		1					4
	9				2	1		7

436

3		7		2				
	1						3	
9			3	5	7			
			9		8		6	3
		9				4		
7	6		4		1			
			6	8	3			7
	7						5	
				9		6		4

437

9	4	3	5	8	7	6	1	2
6	1	2	9	3	4	8	5	7
7	8	5	6	2	1	9	3	4
2	9	1	3	4	5	7	8	6
3	6	8	1	7	2	5	4	9
4	5	7	8	6	9	3	2	1
8	3	4	7	1	6	2	9	5
5	2	6	4	9	8	1	7	3
1	7	9	2	5	3	4	6	8

438

1	8	4	7	3	2	5	9	6
2	7	3	5	9	6	1	4	8
5	6	9	4	1	8	2	3	7
3	5	8	6	4	9	7	2	1
7	1	6	2	5	3	4	8	9
4	9	2	1	8	7	6	5	3
6	3	7	8	2	5	9	1	4
8	2	1	9	7	4	3	6	5
9	4	5	3	6	1	8	7	2

4	7	5	2	8	6	9	1	3
8	3	2	9	1	7	6	4	5
1	9	6	4	3	5	8	7	2
9	8	7	5	6	1	3	2	4
6	2	4	3	7	9	1	5	8
5	1	3	8	4	2	7	6	9
2	6	9	7	5	8	4	3	1
7	4	8	1	2	3	5	9	6
3	5	1	6	9	4	2	8	7

7	6	9	4	3	5	2	8	1
5	1	2	7	6	8	3	9	4
8	3	4	2	1	9	6	5	7
6	2	5	8	4	7	1	3	9
3	9	7	1	5	2	8	4	6
1	4	8	3	9	6	7	2	5
9	7	1	5	2	3	4	6	8
2	8	3	6	7	4	5	9	1
4	5	6	9	8	1	2	7	3

441

4	9	2	6	8	5	3	1	7
7	5	1	2	9	3	4	6	8
3	6	8	7	4	1	2	5	9
9	2	7	4	6	1	5	8	3
6	1	5	9	3	8	7	2	4
8	4	3	5	7	2	1	9	6
2	7	9	8	1	4	6	3	5
5	8	4	3	2	6	9	7	1
1	3	6	9	5	7	8	4	2

442

5	1	8	9	2	4	3	6	7
3	9	6	8	1	7	5	2	4
7	4	2	5	3	6	9	8	1
6	2	3	7	9	1	8	4	5
1	8	7	3	4	5	6	9	2
9	5	4	2	6	8	7	1	3
8	3	1	6	5	2	4	7	9
4	7	9	1	8	3	2	5	6
2	6	5	4	7	9	1	3	8

1	2	6	6	3	5	9	7	4
7	9	8	4	2	6	1	5	3
5	4	3	7	1	9	8	6	2
8	7	2	6	4	3	5	1	9
3	5	9	2	8	1	6	4	7
4	6	1	9	5	7	3	2	8
6	1	4	3	9	2	7	8	5
9	8	7	5	6	4	2	3	1
2	3	5	1	7	8	4	9	6

2	7	5	8	1	4	9	3	6
9	6	4	3	2	7	5	8	1
3	1	8	6	5	9	2	4	7
1			4	9		6	2	5
4			2	7		3	1	9
5	2	9	2	6	3	8	7	4
7	4	3	5	8	6	1	9	2
8	5	1	9	4	2	7	6	3
6	9	2	7	3	1	4	5	8

peices pieces

4
4
5

6	2	8	7	5	1	3	4	9
4	3	1	8	6	9	5	2	7
9	5	7	2	3	4	6	1	8
2	6	3	1	7	5	9	8	4
5	7	4	6	9	8	1	3	2
8	1	9	4	2	3	7	6	5
1	8	5	3	4	7	2	9	6
3	9	2	5	8	6	4	7	1
7	4	6	9	1	2	8	5	3

4
4
6

9			1		8	4		
6	8		2	9	4			5
		4		7		9		
				2		5	4	
4	9						6	
	6	2		4				
		9	4	3		7		
8			7		9		5	4
1	4	6	5	8	2	8	9	3

447

7	2				3

Puzzle 447 (9×9):

248	143	24	7	2	1247	1256	1256	3
237	9	23	8	6	5	1	4	7
7	1456	1456	14	14	3	8	9	2
	2		6			3		
1						7		9
		7			8		2	
6	7	8	2				3	4
245	45	1	3	8			7	
9	345	1345						

448

Puzzle 448 (9×9):

3	5	7	2	4	1	8	6	9
4	2	8	3	6	9	5	7	1
9	1	6	8	5	7	3	2	4
6	7	9	4	8	3	1	5	2
1	8	2	5	9	6	7	4	3
5	4	3	1	7	2	6	9	8
2	3	5	7	1	4	9	8	6
8	6	1	9	2	5	4	3	7
7	9	4	6	3	8	2	1	5

Puzzle 449

5	4	3			2			7
6	2	8		5		9	4	3
1	9	7		3		5	2	6
2	3					6		
9	1	4	2				7	
7		5					9	2
8	9	1		7		2	3	
3	7	6		2				
4	5	2	3			7	6	9

Puzzle 450

	9	6	8	1	4	3	7	2
7	8	2	6	3	5	4	9	1
3	4	1	9	2	7	5	6	8
8	1	4	5	6	9	2	3	7
6	7	3	1	8	2	9	4	5
2	5	9	4	7	3	1	8	6
9	2	8	7	4	1	6	5	3
4	3	7	2	5	6	8	1	9
1	6	5	3	9	8	7	2	4

4	8	2				7	3	9
			2			5	8	4
					4	2	6	1
9	2	7	6					
		8		2				6
					9	3	2	8
8	3		9	4	3	6		2
		4	8	6	2			
2	9	6				8	4	3

	3		6	4			2	5
6	2		3	5			9	4
4	5		8		2	1	3	6
8	9	4	2	3	5	6	1	7
3		6	4		8	9	5	2
5		2		6		3	4	8
7	6	3	5		4	2	8	
2	4	6		8	6	5	7	3
	8	5	7	2	3	4	6	

6	2	5	9	4	7	8	1	3
7	3	1	5	8	6	4	2	9
4	8	9	1	3	2	7	5	6
1	6	3	2	5	8	9	4	7
9	5	8	4	7	3	1	6	2
2	7	4	6	1	9	3	8	5
5	4	6	3	9	1	2	7	8
8	9	2	7	6	4	5	3	1
3	1	7	8	2	5	6	9	4

9	4	1	7	2	5	6	8	3
2	7	5	6	8	3	4	1	9
8	6	3	9	4	1	2	5	7
3	5	6	2	1	3	9	7	4
1	8	7	4	6	9	5	3	2
4	2	9	3	5	7	1	6	8
7	1	2	5	3	6	8	9	1
6	9	8	1	7	2	3	4	5
5	3	4	8	9	4	7	2	6

Top puzzle (455):

5	6	2	9		1	8	7	
	3		5			1	6	
					8			
	5	1	4	9				
7				1		4	5	6
					7	3	9	1
			3					
	2	5				9		4
	8				6	9		

Bottom puzzle (456):

1	8	2	4	3	7	9	5	6
3	4	6	2	3	9	8	1	7
5	9	7			8	3	4	2
4	7	8	3	2	2	1	6	5
6	1	3	8	7	5	2	9	4
9	2	5	1	4	6	7	8	3
8	6	9	7	5	2	4	3	1
2	3	1	6	8	4	5	2	9
2	9	4			3	6	7	8

4
5
7

5						4	7	6
7	1		8					
				5		2		
3			9	1			5	
6								2
	5			7	6			3
				9				
					5		2	4
1	3	8						5

4
5
8

2				1				
8		3			5	1		
	1		9				7	
	9							1
1		2				3		4
3							2	
	8				1		4	
		4	7			5		8
				2				7

NO BUENO

459

5					8		7	
				9		3		4
	1	7						
1		6	4					
	7		1		2		3	
					3	7		6
						1	9	
4		8		1				
	5		2					3

460

			7	2	9		5	6
				1				
		7						9
		6			4		7	
1			9		3			4
	9		8			3		
6						8		
				9				
5	3		6	4	7			

461

9			7			1		
				8				7
	2				5			8
	3	6	9		2			4
7			3		1	2	6	
4			5				1	
5				9				
		3			7			6

462

		2	9	7				
	5			3			8	
6						1	3	
5					4			
4	8			2			9	6
			7					5
	1	6						8
	2			1			7	
				9	2	5		

463

	4		2			1	3	
1					3			6
					1	9		2
9		2			7		1	
		7				2		
	5		9			7		3
7		5	1					
2			8					7
	6	4			2		9	

464

						4	2	
			7		4	9	1	
		2		6		7		
7						1	5	
			9		8			
	6	5						2
		7		4		8		
	4	1	6		3			
	3	8						

465

	5	9	3					
	6				1			
1	7					5	6	
	1			8	7			3
7								6
3			9	4			1	
	4	7					3	1
			2				7	
					8	6	4	

466

	3					1		6
9	6		1			3		
			4		6		7	
5				1				
8		1	5		7	6		3
				9				5
	8		9		4			
		3			1		6	7
6		9					4	

4 6 7

			9					7
		9			5		2	
				3		6	1	
3					9	7		
9	4			2			6	1
		1	4					3
	2	7		5				
	9		3			2		
5					7			

4 6 8

					2	6		3
		7	4	1	3	2		
							9	
	2			5				1
		4		9		8		
3				2			7	
	7							
		6	2	3	9	4		
4		3	6					

469

	3	4	7					
5	8						6	
7			5	6				
			2				4	6
	4			1			5	
8	9				6			
				5	3			7
	6						1	5
					8	6	9	

470

4					8			
2			5	7				6
		9				4		1
	1			5	9			
	2						5	
			4	8			6	
3		8				2		
6				4	3			7
			8					5

4 7 1

	8				2			9
			8				4	3
			1	6				
3						8		
7	5	9				3	1	2
		8						5
				5	3			
6	4				7			
8			9				3	

4 7 2

						9		5
				3	9	4		
	5		1					
5							4	6
3		9		7		8		2
8	1							9
					3		7	
		7	8	4				
4		6						

473

	8			1	7			
	1	3			4			
4								8
6		4						1
8			4		2			6
2						7		3
3								7
			8			2	6	
			5	2			8	

474

			2				1	
	8			4			7	
1		3			8			
8		6			3			1
	1						2	
4			8			6		3
			7			2		4
	7			2			3	
	3				9			

475

5		1	6					
6								
	3	7	1					2
8		9	2				5	
	1			4			3	
	4				8	9		1
3					7	1	6	
								3
					1	5		7

476

		2	5	8				
	4				7			9
		7				6		
		8	1		5			2
		4		6		1		
1			2		8	5		
		3				2		
4			7				1	
				2	6	9		

6						1		2
4		9		1				
	7		6					
		6	4		1			5
		2		3		6		
7			9		6	2		
					4		9	
				8		5		6
2		3						8

				7			4	8
				6				
	2	6	8					1
9		4			8			6
			4	3	9			
7			2			4		5
6					3	5	1	
				4				
5	9			2				

479

9	4		7					
		5						
6	1	3	8			4		
					5	3		7
	3	7		1		6	5	
1		2	3					
		9			4	8	6	1
						7		
					3		4	5

480

	7	1				6		
2		6			8	3		
3				6			2	
6					3	4		
			7	1	4			
		4	8					2
	1			2				3
		8	3			2		9
		3				7	4	

4
8
1

				5				
9		7				8		4
	2	1	4	9				
		3	2				1	9
	5		9		6		3	
1	9				5	6		
				6	3	1	4	
4		6				9		3
				4				

4
8
2

5	4							
	6			7			2	5
		2			4			
			8	9		5	7	
4	8						6	3
	7	5		6	3			
			7			1		
6	9			1			4	
							9	8

4
8
3

				6		7	1	
	5				4		9	
		1			2	5		
	4	3						9
		6	1		9	2		
2						1	4	
		8	4			9		
	6		7				5	
	7	9		5				

4
8
4

		4			7		5	8
			4			6		
		9	2				4	
	3	8	1					7
				7				
7					8	4	1	
	1				6	8		
		6			4			
9	8		3			2		

485

3	6					5		
			2	3				
				4		8	2	
					5	3	4	
	3			9		4		8
	2	9	3					
	9	5		1				
				7	9			
		6					3	7

486

					7		5	
		1	2					
3	7	9			1			8
	6			4	2	8		
4				1				2
		7	8	9			4	
7			5			1	3	9
					3	5		
	5		9					

248

487

3				7				
	7	9			1			8
			8			9	4	
		2					6	
			1	2	3			
	4					5		
	1	3			2			
8			6			4	9	
				5				1

488

4		3	8					
				6		1		
1					4			
5					3		7	6
7	6		1		9		3	4
2	3		4					5
			6					3
		2		9				
					8	4		1

489

7		8	6			5		
								6
		2	3	5				
2			7				6	
	7		4		1		9	
	8				6			2
				7	4	1		
8								
		5			8	2		3

490

		4					2	
	5	9	3	7		8		
8	7				1			
		7			9			
6				1				7
			5			1		
			7				6	3
		8		4	5	9	7	
	4					5		

491

			8			4		
			7				2	8
			1		4	9	3	
2		5						4
7			6		9			3
9						8		5
	9	7	2		3			
8	1				7			
		6			8			

492

9			3		2			
				6		4	7	1
	5							
			1			5	4	
1								9
	7	2			8			
							5	
7	6	9		1				
			2		3			4

493

4			5	6		3		
5	8		9		1			
	9				8	7		
							8	
		9	1		7	6		
	3							
		6	7				2	
			8		5		1	6
		8		2	6			7

494

2				5				
3	5			1				9
	1		4		2			
		8	9				4	
1								5
	6				5	9		
			6		1		7	
8				9			2	6
				7				3

495

	3				6			8
	8	5		2			9	
		4		7				
	4		8					6
7								3
3					9		4	
				8		3		
	7			9		1	5	
1			4				6	

496

5		7				3		6
	6		7	2				9
					8			
			8				3	
		3				1		
	8				9			
			6					
6				5	1		4	
4		9				2		5

497

		6	2			1		8
7			4					
				8		6		5
9		7	3	4				
				1	6	8		3
5		9		7				
					3			1
1		8			4	5		

498

	8	4	1					5
	7							2
	1		4		5			
	9				7	1		
3			2		4			8
		7	6				2	
			5		2		4	
4							3	
7					9	5	8	

499

	8	6				9		
					1	6	2	
4							8	3
			6	3	9			8
5			8	4	7			
9	4							5
	1	7	9					
		3				2	1	

500

			3	7				9
		4			1			2
		5			4	7	6	
2	6							
							9	7
	2	7	9			3		
9			1			2		
3				5	8			

501

	3	6	9			8		
9				4				2
		1	3		2	6		
					4			3
				5				
1			8					
		7	2		8	9		
5				9				7
		9			6	2	8	

502

		9	1		7	2		8
						4	5	
		8						
				5		8		4
7			9		4			3
2		3		1				
						1		
	7	4						
9		1	4		8	3		

503

		1	8		9	5		3
			2	3				
							9	2
	6				5	7		
7								8
		4	6				5	
4	2							
				9	8			
3		6	5		1	8		

504

7				3		5		
4	1		7					
					8	7	9	
				1			5	
	3		4		9		2	
	7			6				
	8	3	1					
					7		3	9
		7		5				6

505

1		6						
7	5				3			
8			9		6		4	
		1	8				7	
6	7						8	4
	8				9	1		
	4		1		2			3
			7				2	9
						7		5

506

5		1						
	3	8	9		5		2	
			1			9		
				1		3		8
	6			5			4	
4		7		3				
		6			1			
	7		2		3	4	8	
						2		6

				6			7	
		8			5			9
	2		1	7			4	
3		5				8		
2				8				6
		6				2		7
	4			9	6		2	
9			8			4		
	5			2				

5								6
9	6				2			
		7				2	4	
				8	6		9	5
7								3
2	9		5	7				
	8	3				9		
			9				8	4
1								2

509

	6				2	8		9
		3			8	4	7	
				1				
6					1			5
		1		3		2		
5			6					4
				8				
	2	4	5			3		
7		6	1				4	

510

			3			9		
9		1	6	4		3	8	
3						7	4	1
		4			3			
				5				
			7			1		
5	2	6						7
	1	9		7	5	8		6
		7			1			

511

				7	8	6		
8		7						
1			9			8	2	
					7	9		
	4		8		2		6	
		9	5					
	7	4			3			1
						2		6
		5	4	8				

512

4			1					
	1	9		6			7	
		3			9			
	3	6		8				7
		1		7		4		
7				1		6	2	
			8			9		
	5			4		3	8	
					5			4

		8		9			1	7
	6		7					
5								9
9		6	3				5	
	8			2			7	
	2				8	9		4
6								5
					2		3	
8	3			4		7		

	6		5	7	3			4
	2				1	3		7
2						7	4	
	7		6		4		2	
	4	1						5
1		2	9				7	
8			2	4	5		3	

515

		4		3			8	
1			4	2	5			
						5		
3		5			6		1	2
	9	6				4	5	
8	1		5			3		6
		9						
			8	4	7			5
	6			5		1		

516

		2	7			1		9
3	9			4				
	6		1			8	2	
6	7	4						
						6	7	3
	3	5			8		6	
				2			8	7
7		8			3	9		

517

4								
1					8	5		
5				7		2	1	9
	9			4	1			
			7		2			
			9	3			7	
3	4	8		6				5
		6	2					7
								1

518

6			3			7		
3				4				9
	5	9	2			8		
2		5					7	
	3	6				1	9	
	8					5		2
		3			1	6	8	
5				9				1
		2			3			7

519

	8				3	1		
6								
		2	7	8		6		
2	3							
7			5		1			8
							9	5
		8		9	2	3		
								4
		9	3				7	

520

				7				2
			9	6				7
		2	3			9	8	
9			6				1	
8		1				2		9
	4				1			3
	8	3			9	5		
2				3	8			
1				5				

521

9		2	7					
3		6		1		2		9
5							4	
2				5		7		
			1		8			
		9		7				6
	3							4
4		8		9		3		5
					3	8		7

522

		9	6				2	
4	8	6			5			
	5				9			
			2	6			3	1
8								2
1	2			5	4			
			7				6	
			5			3	8	4
	9				6	5		

5
2
3

8	9		1					
		2					1	
3	6					2		4
		9		2			5	8
	2		3		5		6	
7	5			8		9		
2		7					3	9
	8					5		
					9		8	6

5
2
4

						1		
5	1				4		9	
	2	4		7				
	5	1	7			3		
			1		6			
		3			9	7	1	
				1		2	5	
	8		9				3	7
		5						

525

5	6			2		9		
	8				7			2
			8			1		
				8			1	
	9	3				8	4	
	4			3				
		4			5			
7			1				9	
		2		4			5	6

526

	6			7			3	
						8		9
	7	8		5				
	4			3	5	1		8
3								4
1		5	9	4			6	
				6		7	2	
6		4						
	3			8			4	

527

		2						9
	4				9			5
			3	6		7		
		6		3		9		1
		8		7		3		
2		1		9		5		
		5		4	8			
8			7				9	
6						2		

528

					9		7	
3				5	8			
8	1	7	3					
2	8		5	3				
		1				4		
				4	7		8	1
					3	1	9	5
			1	7				4
	2		9					

529

		7	4	1				8
		6	5			2		1
1				8			9	
7							1	
	6			4			7	
	1							6
	8			7				9
3		2			5	4		
4				2	9	6		

530

	8							
		3		6				
4		5		7	9		2	
2	9			8	7	3		
				1				
		7	5	2			6	8
	5		2	9		4		1
				5		6		
							9	

531

3				1				
	1	9				3		7
		4	6		2			
			3		8			
7	3						9	6
			7		5			
			8		6	2		
5		2				4	8	
				2				9

532

		6			9			7
			6	5				
		5	3		4			
	9	1			2	8		5
	6						4	
4		3	5			6	2	
			1		5	3		
				9	3			
3			7			2		

533

5						7		
		3		7	9			5
6			3		4			
	4			2				1
		9				8		
7				4			5	
			1		5			6
2			6	9		1		
		1						7

534

9			2	7				1
						7		
	2	5	1	4				
	7		8			6		3
				5				
8		9			3		7	
				1	2	5	9	
		1						
2				3	7			8

535

7							6	
		6	1	3				
			4	5		7		
		1					7	5
		2	6	1	5	4		
5	6					8		
		3		2	1			
				4	9	2		
	2							9

536

			3	2				
9	2						5	
			6			9		3
3	8			6	2			9
		4				2		
2			5	7			8	6
7		8			6			
	3						4	8
				3	5			

537

	9		4			2		1
					6			
	4		5	1		6		
2	8	9						
5								2
						9	7	8
		2		9	4		3	
			7					
8		7			1		6	

538

		3	9			2		
9			8			7	6	
7	8					3		
			5			9	7	
6								4
	3	9			8			
		6					9	7
	7	2			6			1
		5			4	6		

539

	2			1				7
7		4	2		9			
			6				8	
5		7					3	9
9	8					5		1
	7				8			
			7		3	6		5
1				4			9	

540

2	4					9		
6		7	4	9				
5		3			6	4		
			9				1	
		6		4		8		
	7				1			
		5	1			3		8
				8	5	1		7
		1					2	4

5
4
1

	6					3		
4				6			2	
			9		2		8	
				8		2		4
2			6	1	7			8
3		1		9				
	9		1		5			
	2			3				1
		4					7	

5
4
2

		3		5	8	6		
		1						
	6					9		
2					9			7
4		8		6		3		1
5			4					6
		2					3	
						4		
		4	3	2		5		

5
4
3

3								
	8		6	9		4		
	1				3		9	8
					4		7	
	4	5				1	8	
	9		2					
9	3		7				5	
		8		5	2		4	
								9

5
4
4

4							7	1
	5	8			7			
						4	8	
	1	7	5					
5			8		9			2
					2	5	1	
	9	6						
			4			6	3	
1	4							8

545

8		2			7		5	
		7				8	2	
	5	1		2				
2		9			1			
				9				
			5			7		9
				5		3	8	
	9	5				6		
	3		2			5		4

546

	3			8				6
			2		3		4	
			6	7			3	1
5					2			
2				9				8
			7					4
6	4			3	1			
	7		8		6			
9				5			6	

547

		9	8	1				4
	6				4	1		
					7			9
		8	6					
	3	1				6	9	
					2	5		
6			7					
		5	4				3	
2				8	1	4		

548

			5				1	9
					1	8		
	4		9			6		
		5	3			4		
4		9				2		7
		2			9	5		
		8			5		4	
		1	7					
3	6				2			

6				2				
		9			3			8
					6	1		
1		7			2		3	
9		3				8		6
	4		6			7		9
		8	7					
5			3			4		
				4				7

		5				8		7
				2	6	9		5
9					5		4	
			3		2	7		8
8		7	5		4			
	4		7					2
1		3	6	4				
6		9				1		

551

				1		5		
3		2			4			
	5				2		9	
			8	4			2	
1		4				9		8
	8			7	5			
	9		7				1	
			4			7		3
		1		6				

552

4			1				8	
	7			2		3	5	
	6				9			
6							7	
7			3	1	8			5
	4							1
			6				2	
	2	7		8			3	
	1				2			8

553

		4	2		8			
9	8	3	4			7	6	
2				1				
		7	5		6	1		
				4				3
	6	2			3	4	8	1
			8		4	9		

554

9					2			
2		1	9		3			
	6	5		7				
			1					5
1	2						6	7
6					4			
				2		9	3	
			7		6	5		1
			8					2

555

				5				
	7	4				3		
			4		2		9	8
	4	2				9	7	
				9				
	5	6				1	3	
4	6		9		3			
		3				4	1	
				8				

556

		1				3		
	2	6		4				
			3	6				8
2			1					9
	6		9		8		7	
4					7			2
8				1	6			
				9		8	5	
		5				1		

557

			9			3		6
	4		1				5	
		8			4			
7	9					1		
4	8						9	7
		1					6	3
			5			2		
	1				3		8	
6		7			9			

558

2							9	8
						4		7
			3	8	7		1	
					3	9		
5	2		1		8		3	4
		3	2					
	4		6	5	9			
7		2						
3	6							1

559

					3			
7		8			5			
5		6		9			4	
6	2		5			8		
8				4				2
		9			2		7	6
	7			5		6		1
			2			5		4
			1					

560

5	6		3					
			9			8		
							1	6
		7			8	4	9	
				2				
	9	6	4			3		
8	4							
		2			4			
					7		4	1

561

5				3		9		
	4				6		7	
					7		5	2
3	6		4		2			
		5				8		
			8		5		3	9
4	1		6					
	5		7				8	
		3		5				6

562

8							3	4
			8		3	5	9	
		3		6	9			
								2
2		4	6		5	7		3
7								
			7	5		3		
	9	6	4		8			
4	7					6		

563

				9				
						9	3	7
9	7			6		8	5	
	5			3	4		6	
4			9		5			3
	9		6	2			1	
	4	9		8			7	1
5	2	6						
				4				

564

	8					9		
			1		6			2
				8			7	4
	1	3			8			
		8		4		3		
			2			8	6	
5	7			1				
2			8		4			
		9					5	

565

					5		3	
		3	4	6		7		
7	4	9					6	
				3				9
			8		2			
8				1				
	8					2	9	6
		4		2	6	8		
	5		3					

566

				3			4	
					1	9		6
5			9		7		3	
			2			6		
8								7
		9			8			
	6		8		4			5
7		2	6					
	3			1				

5 6 7

		7	1					
			2				1	9
8		1					3	2
	1			3		9		
7			9		2			3
		9		1			8	
2	9					5		7
6	8				9			
					4	8		

5 6 8

	5		4			8	3	
4				6	3			
		6	7			4		
	2		9	3		7		
		9		7	2		6	
		5			8	3		
			2	9				1
	4	7			1		8	

569

8	9							6
			8			9		
6				2			4	1
3		5	4					
	2						7	
					3	4		5
7	1			9				8
		6			1			
9							6	7

570

8						7	9	
					1			8
			8	5		6		3
	5					1		4
	9	7				3	5	
1		3					8	
7		6		3	2			
9			1					
	3	1						2

571

9					7		1	2
		6				7		
			1	6	2			5
6			2					
		5		7		2		
					4			6
7			4	5	1			
		8				9		
2	3		9					4

572

		2			5	3		4
					4			9
	5		7			2	8	
				5	6		2	
	1			8			4	
	7		3	4				
	2	7			3		9	
8			6					
6		5	4			7		

5
7
3

		2		7		4	3	
4	7				3	2	1	
	5		7	4			6	
		9		6		7		
	6			5	9		8	
	9	6	8				7	3
	3	8		9		1		

5
7
4

7			6	9				
	6	2		4				
		3	8					
	1		4				5	8
4				7				6
3	8				1		7	
					6	4		
				5		1	6	
				8	9			5

575

	2		4					6
5		7		9			4	
	3				2			
3						1		7
				5				
9		5						3
			2				3	
	5			7		8		2
4					8		6	

576

		9	6					
	2					6		7
				9	3			5
4			1					
2	7						3	6
					4			9
9			4	3				
6		4					1	
					6	2		

577

				3				
		3	8			6		
8			9		6	5	4	
	8	9				1		
	6		1	9	7		2	
		2				4	7	
	3	8	5		9			6
		6			3	8		
				6				

578

3	2				1			
		4						
6		7	4	8			1	3
				4			5	6
8			3		6			9
7	4			9				
2	6			5	4	7		8
						2		
			9				6	5

9	5							
8		7					4	
	6	4			1			
	8	9	3		4	1		
		5	1		2	9		
		2	7		9	5	3	
			2			7	9	
	9					3		2
							1	8

579

					9			7
		4		2		1		
	3		4	5				
6						4		9
			8		4			
2		7						3
				4	2		1	
		2		8		5		
3			9					

580

581

	3	1			2	4		6
5				6	7		3	
1			2				9	
		8	9	7	5	2		
	9				6			8
	6		7	2				9
8		2	4			7	6	

582

		5					1	
	8							2
7				9	2	5		
3	6	7	5					8
	5						2	
4					3	1	7	5
		2	9	3				1
8							6	
	1					4		

583

					3		2	
3		7			2	9		8
			9	8				
		9		2		3		4
	1						9	
4		6		5		7		
				9	5			
2		5	4			6		1
	6		2					

584

6					4			1
	2			1	7		5	8
	1		6					
8						7		
7				9				4
		1						5
					2		6	
3	6		7	4			8	
2			8					7

585

	9			1				4
		5			9			
		8		4	2		3	
	3		1			4		
	5						9	
		6			8		2	
	8		9	6		7		
			7			3		
1				5			6	

586

		6					1	3
1	7				2			
5						2		
		7	5					4
	4		6	7	8		2	
2					4	3		
		1						7
			3				4	8
7	5					6		

298

587

5		4						
2			6	5		1		
	6			3		8		2
			5					7
7	9						2	1
4					8			
8		2		1			6	
		6		8	7			9
						2		8

588

6		7					5	
9				5	1			
4	5				3		9	
1			2			7		8
7		2			4			5
	9		3				6	2
			5	1				4
	3					5		9

589

		5			2	6		
			8	7	4		5	
				6		8		7
1		7	9					
3								2
					7	1		9
7		8		9				
	5		2	8	1			
		2	7			5		

590

		4	1					3
7				5	3			
3					8		2	
					6	8		
	9	2				1	4	
		1	8					
	6		9					5
			7	3				8
4					2	3		

591

5			4				1	
	1		2			6		4
	6			3		9		5
			9					
1	9			8			4	6
					4			
9		1		5			6	
7		2			1		3	
	3				9			8

592

	5	1			3			
9							4	1
	3						9	
1	7		4					8
		5		2		9		
3					7		1	5
	9						5	
4	1							9
			1			2	6	

ANSWERS

1

3	7	8	1	6	2	4	5	9
4	6	2	5	3	9	1	7	8
9	5	1	7	8	4	3	6	2
1	4	7	3	9	6	2	8	5
2	9	5	8	1	7	6	3	4
6	8	3	4	2	5	7	9	1
7	2	6	9	4	8	5	1	3
8	1	4	6	5	3	9	2	7
5	3	9	2	7	1	8	4	6

2

4	1	6	2	3	5	7	8	9
5	9	7	1	8	6	3	4	2
8	3	2	7	4	9	5	1	6
9	4	1	8	6	3	2	7	5
6	5	8	4	2	7	1	9	3
2	7	3	9	5	1	4	6	8
1	6	5	3	9	4	8	2	7
3	8	4	6	7	2	9	5	1
7	2	9	5	1	8	6	3	4

3

2	7	4	3	1	8	6	5	9
5	1	6	7	2	9	4	3	8
9	8	3	6	4	5	2	7	1
1	4	5	8	7	6	9	2	3
6	2	7	1	9	3	8	4	5
8	3	9	2	5	4	1	6	7
3	6	2	9	8	7	5	1	4
4	9	1	5	3	2	7	8	6
7	5	8	4	6	1	3	9	2

4

7	3	1	4	9	8	5	2	6
5	8	6	7	3	2	9	1	4
4	9	2	6	1	5	8	7	3
3	7	4	5	8	1	6	9	2
8	6	5	9	2	7	3	4	1
2	1	9	3	6	4	7	8	5
6	5	8	2	4	9	1	3	7
1	4	7	8	5	3	2	6	9
9	2	3	1	7	6	4	5	8

5

3	1	8	5	9	6	2	7	4
2	7	5	8	1	4	9	3	6
6	4	9	7	2	3	8	5	1
7	3	6	1	4	9	5	8	2
8	5	2	3	6	7	4	1	9
4	9	1	2	8	5	3	6	7
5	8	4	6	7	2	1	9	3
9	6	3	4	5	1	7	2	8
1	2	7	9	3	8	6	4	5

6

7	8	9	6	2	4	5	1	3
4	3	6	7	1	5	8	2	9
5	2	1	9	3	8	6	7	4
6	5	8	2	4	7	3	9	1
9	1	2	8	6	3	7	4	5
3	4	7	5	9	1	2	8	6
1	6	3	4	7	2	9	5	8
2	9	5	1	8	6	4	3	7
8	7	4	3	5	9	1	6	2

7

2	1	4	6	3	5	8	7	9
8	5	9	7	4	1	2	6	3
7	6	3	9	8	2	5	4	1
3	8	2	5	9	6	7	1	4
5	7	1	4	2	3	6	9	8
9	4	6	8	1	7	3	2	5
6	9	5	3	7	4	1	8	2
1	3	8	2	6	9	4	5	7
4	2	7	1	5	8	9	3	6

8

4	6	3	7	9	8	5	2	1
5	7	8	6	2	1	3	9	4
9	1	2	5	3	4	7	6	8
6	5	7	4	8	2	1	3	9
1	8	9	3	6	7	2	4	5
2	3	4	1	5	9	8	7	6
8	2	5	9	7	6	4	1	3
7	4	6	8	1	3	9	5	2
3	9	1	2	4	5	6	8	7

9

8	4	2	6	7	9	5	3	1
1	3	6	2	4	5	7	8	9
9	7	5	8	3	1	2	4	6
7	1	3	4	2	8	9	6	5
4	2	8	5	9	6	3	1	7
5	6	9	3	1	7	8	2	4
2	8	1	7	5	4	6	9	3
6	9	7	1	8	3	4	5	2
3	5	4	9	6	2	1	7	8

10

4	7	1	5	8	6	2	3	9
8	9	2	4	7	3	1	6	5
3	5	6	9	1	2	4	8	7
9	2	3	6	5	7	8	4	1
6	1	8	3	4	9	7	5	2
7	4	5	1	2	8	6	9	3
1	6	9	2	3	4	5	7	8
2	8	4	7	9	5	3	1	6
5	3	7	8	6	1	9	2	4

11

7	2	6	1	4	9	5	3	8
9	5	1	8	7	3	2	4	6
4	8	3	2	5	6	1	7	9
5	6	9	3	1	4	8	2	7
2	3	8	9	6	7	4	5	1
1	4	7	5	2	8	9	6	3
3	7	2	4	8	1	6	9	5
8	9	4	6	3	5	7	1	2
6	1	5	7	9	2	3	8	4

12

5	2	6	7	3	9	4	8	1
4	7	3	8	1	2	6	9	5
1	8	9	4	5	6	7	3	2
8	3	1	9	4	7	5	2	6
2	9	7	3	6	5	1	4	8
6	5	4	2	8	1	9	7	3
7	6	8	5	9	3	2	1	4
9	4	5	1	2	8	3	6	7
3	1	2	6	7	4	8	5	9

13

4	5	3	7	8	1	2	6	9
9	8	7	2	5	6	4	1	3
6	1	2	9	3	4	5	8	7
5	7	9	1	2	3	8	4	6
2	3	8	6	4	7	9	5	1
1	6	4	5	9	8	3	7	2
7	2	5	4	6	9	1	3	8
8	4	6	3	1	2	7	9	5
3	9	1	8	7	5	6	2	4

14

1	7	9	2	4	5	3	6	8
3	8	5	6	9	7	4	2	1
4	6	2	8	3	1	5	7	9
2	4	8	7	1	9	6	5	3
7	3	6	5	2	8	1	9	4
5	9	1	3	6	4	7	8	2
8	5	3	4	7	2	9	1	6
6	1	7	9	8	3	2	4	5
9	2	4	1	5	6	8	3	7

15

5	4	1	2	9	7	3	6	8
2	3	8	5	4	6	1	9	7
7	9	6	1	8	3	4	5	2
6	2	5	3	7	9	8	4	1
1	7	4	6	5	8	9	2	3
3	8	9	4	2	1	5	7	6
4	1	7	9	3	2	6	8	5
9	6	2	8	1	5	7	3	4
8	5	3	7	6	4	2	1	9

16

3	9	7	5	4	1	8	2	6
1	8	2	7	3	6	5	4	9
5	6	4	8	9	2	7	1	3
2	7	5	3	1	4	6	9	8
4	3	8	6	7	9	2	5	1
9	1	6	2	8	5	4	3	7
6	2	1	9	5	8	3	7	4
7	5	9	4	6	3	1	8	2
8	4	3	1	2	7	9	6	5

17

3	5	8	4	6	9	2	1	7
9	2	6	1	8	7	4	5	3
4	7	1	3	2	5	8	9	6
7	6	5	8	3	1	9	2	4
2	1	9	5	4	6	3	7	8
8	3	4	9	7	2	5	6	1
6	4	7	2	9	3	1	8	5
5	8	2	6	1	4	7	3	9
1	9	3	7	5	8	6	4	2

18

2	9	4	3	5	7	8	6	1
8	5	7	4	6	1	2	3	9
3	1	6	2	9	8	7	5	4
5	2	1	7	8	3	4	9	6
6	7	8	5	4	9	3	1	2
9	4	3	6	1	2	5	7	8
4	6	2	9	7	5	1	8	3
1	3	5	8	2	6	9	4	7
7	8	9	1	3	4	6	2	5

19

8	9	7	5	6	2	3	4	1
2	4	5	9	3	1	8	6	7
3	6	1	7	8	4	5	9	2
6	2	8	3	4	7	9	1	5
1	5	4	2	9	8	7	3	6
9	7	3	1	5	6	2	8	4
4	8	9	6	2	5	1	7	3
5	1	6	8	7	3	4	2	9
7	3	2	4	1	9	6	5	8

20

3	8	7	9	4	1	6	5	2
5	9	2	7	3	6	1	8	4
1	4	6	5	2	8	3	9	7
6	2	4	8	9	7	5	3	1
8	1	3	2	5	4	9	7	6
7	5	9	1	6	3	4	2	8
4	6	8	3	7	5	2	1	9
9	7	5	4	1	2	8	6	3
2	3	1	6	8	9	7	4	5

21

2	8	5	6	1	9	4	3	7
3	4	1	5	2	7	6	8	9
7	9	6	3	4	8	1	2	5
5	1	9	7	8	3	2	4	6
6	3	4	2	5	1	9	7	8
8	2	7	4	9	6	5	1	3
4	6	3	1	7	5	8	9	2
9	5	2	8	3	4	7	6	1
1	7	8	9	6	2	3	5	4

22

4	5	7	1	6	3	8	2	9
8	6	3	9	7	2	5	4	1
1	2	9	5	4	8	3	7	6
3	9	1	8	5	7	4	6	2
7	4	5	6	2	1	9	8	3
2	8	6	4	3	9	1	5	7
5	3	4	2	9	6	7	1	8
9	1	2	7	8	5	6	3	4
6	7	8	3	1	4	2	9	5

23

5	2	3	1	9	7	8	6	4
7	1	6	5	8	4	2	3	9
8	4	9	2	6	3	7	5	1
4	6	2	7	3	5	1	9	8
9	8	1	6	4	2	5	7	3
3	5	7	9	1	8	4	2	6
1	7	8	3	5	6	9	4	2
2	3	4	8	7	9	6	1	5
6	9	5	4	2	1	3	8	7

24

6	4	8	7	9	2	5	1	3
7	2	3	4	5	1	9	8	6
1	5	9	3	8	6	4	2	7
4	3	2	1	7	9	8	6	5
9	8	7	2	6	5	1	3	4
5	6	1	8	4	3	7	9	2
2	9	6	5	1	7	3	4	8
8	1	5	6	3	4	2	7	9
3	7	4	9	2	8	6	5	1

25

9	5	1	2	4	6	8	7	3
6	7	2	5	8	3	4	1	9
8	3	4	9	1	7	2	5	6
4	6	7	8	2	1	9	3	5
2	1	8	3	5	9	6	4	7
5	9	3	6	7	4	1	8	2
3	2	5	1	6	8	7	9	4
7	8	9	4	3	2	5	6	1
1	4	6	7	9	5	3	2	8

26

5	1	2	8	3	7	9	4	6
6	3	9	4	1	2	7	8	5
8	7	4	5	6	9	2	1	3
2	4	8	1	5	3	6	9	7
9	6	1	7	2	4	3	5	8
7	5	3	9	8	6	4	2	1
1	9	6	3	4	8	5	7	2
4	2	5	6	7	1	8	3	9
3	8	7	2	9	5	1	6	4

27

3	6	5	7	4	9	8	2	1
9	4	8	1	2	3	5	6	7
2	7	1	8	6	5	9	3	4
7	3	4	2	5	6	1	8	9
1	9	2	3	8	7	4	5	6
8	5	6	4	9	1	2	7	3
5	8	9	6	3	4	7	1	2
4	1	3	5	7	2	6	9	8
6	2	7	9	1	8	3	4	5

28

3	7	1	6	5	2	8	4	9
8	4	5	7	9	1	6	3	2
6	9	2	3	4	8	1	7	5
4	5	3	8	1	6	2	9	7
1	8	9	2	7	4	3	5	6
7	2	6	9	3	5	4	1	8
5	1	8	4	6	7	9	2	3
2	3	4	5	8	9	7	6	1
9	6	7	1	2	3	5	8	4

29

1	6	5	9	3	8	2	4	7
8	2	7	4	1	5	6	9	3
4	9	3	2	7	6	5	8	1
3	8	4	5	2	9	1	7	6
9	1	6	3	8	7	4	5	2
7	5	2	1	6	4	9	3	8
2	7	9	6	4	3	8	1	5
6	4	8	7	5	1	3	2	9
5	3	1	8	9	2	7	6	4

30

8	6	1	5	4	3	9	2	7
2	3	5	7	8	9	1	6	4
4	7	9	1	2	6	8	3	5
3	2	7	4	1	5	6	8	9
5	9	4	8	6	2	3	7	1
6	1	8	9	3	7	5	4	2
7	4	3	6	5	1	2	9	8
1	8	2	3	9	4	7	5	6
9	5	6	2	7	8	4	1	3

31

6	4	1	5	8	3	7	2	9
8	7	2	4	1	9	6	3	5
5	9	3	6	2	7	1	4	8
7	5	4	8	6	2	9	1	3
1	8	9	3	7	5	2	6	4
2	3	6	1	9	4	5	8	7
3	6	8	9	5	1	4	7	2
4	2	5	7	3	6	8	9	1
9	1	7	2	4	8	3	5	6

32

6	4	1	8	5	7	3	2	9
7	9	5	6	2	3	8	4	1
2	3	8	1	9	4	5	6	7
5	6	4	3	1	9	7	8	2
3	1	9	7	8	2	6	5	4
8	7	2	5	4	6	1	9	3
4	8	7	2	3	5	9	1	6
9	5	3	4	6	1	2	7	8
1	2	6	9	7	8	4	3	5

33

1	2	5	4	3	7	6	8	9
6	3	4	2	8	9	1	7	5
9	8	7	1	5	6	4	2	3
7	6	9	3	1	4	2	5	8
3	1	2	5	9	8	7	6	4
5	4	8	6	7	2	9	3	1
8	7	1	9	2	3	5	4	6
4	9	3	7	6	5	8	1	2
2	5	6	8	4	1	3	9	7

34

2	7	9	8	4	5	6	1	3
3	4	8	7	1	6	9	5	2
6	1	5	2	9	3	4	7	8
9	6	1	5	3	4	8	2	7
8	3	2	6	7	1	5	4	9
4	5	7	9	8	2	3	6	1
7	2	6	3	5	8	1	9	4
5	8	4	1	2	9	7	3	6
1	9	3	4	6	7	2	8	5

35

9	4	1	8	5	7	3	6	2
8	6	3	9	1	2	7	4	5
5	2	7	4	6	3	1	9	8
1	5	9	7	3	4	2	8	6
7	3	4	6	2	8	9	5	1
2	8	6	1	9	5	4	7	3
3	9	5	2	4	6	8	1	7
4	7	2	5	8	1	6	3	9
6	1	8	3	7	9	5	2	4

36

4	5	3	7	9	1	2	8	6
6	7	1	3	8	2	9	5	4
2	8	9	4	5	6	3	1	7
3	4	6	2	1	5	7	9	8
7	9	5	6	4	8	1	3	2
1	2	8	9	3	7	6	4	5
5	6	4	1	2	3	8	7	9
9	1	2	8	7	4	5	6	3
8	3	7	5	6	9	4	2	1

37

2	5	6	9	7	4	3	8	1
7	1	8	6	5	3	9	2	4
4	3	9	2	1	8	6	5	7
3	8	7	5	4	1	2	9	6
1	4	2	3	6	9	5	7	8
6	9	5	7	8	2	4	1	3
9	2	4	1	3	7	8	6	5
5	7	3	8	2	6	1	4	9
8	6	1	4	9	5	7	3	2

38

4	2	9	5	6	1	8	7	3
1	5	7	2	3	8	4	6	9
6	3	8	4	7	9	1	5	2
3	6	4	8	5	7	2	9	1
7	9	2	6	1	3	5	4	8
5	8	1	9	4	2	6	3	7
9	4	3	1	2	5	7	8	6
2	7	5	3	8	6	9	1	4
8	1	6	7	9	4	3	2	5

39

1	8	3	6	9	4	2	5	7
6	7	4	3	5	2	1	9	8
5	9	2	7	8	1	3	6	4
8	3	1	4	7	5	9	2	6
7	5	9	1	2	6	8	4	3
4	2	6	8	3	9	5	7	1
2	6	7	9	1	8	4	3	5
9	4	8	5	6	3	7	1	2
3	1	5	2	4	7	6	8	9

40

8	6	1	9	7	4	2	3	5
9	4	2	6	3	5	1	7	8
7	3	5	2	1	8	6	9	4
2	8	6	7	4	9	5	1	3
1	9	7	5	8	3	4	2	6
4	5	3	1	6	2	9	8	7
3	7	9	4	2	6	8	5	1
5	1	4	8	9	7	3	6	2
6	2	8	3	5	1	7	4	9

41

3	4	2	7	6	8	9	5	1
5	6	8	9	2	1	3	7	4
1	9	7	3	5	4	6	2	8
4	1	3	2	7	9	5	8	6
2	5	6	8	4	3	7	1	9
8	7	9	5	1	6	4	3	2
6	8	5	1	9	7	2	4	3
9	2	1	4	3	5	8	6	7
7	3	4	6	8	2	1	9	5

42

9	8	5	4	3	2	1	6	7
3	6	4	8	7	1	5	2	9
7	2	1	6	5	9	4	8	3
5	9	7	2	6	4	3	1	8
2	3	6	1	8	5	9	7	4
1	4	8	7	9	3	2	5	6
6	5	3	9	1	7	8	4	2
8	1	2	3	4	6	7	9	5
4	7	9	5	2	8	6	3	1

43

4	2	8	7	5	1	9	6	3
1	5	3	9	4	6	2	8	7
6	9	7	3	2	8	4	1	5
5	6	4	8	3	9	1	7	2
3	7	1	5	6	2	8	9	4
9	8	2	1	7	4	5	3	6
2	1	6	4	9	7	3	5	8
7	3	9	2	8	5	6	4	1
8	4	5	6	1	3	7	2	9

44

6	5	7	4	9	3	8	1	2
3	4	8	7	2	1	9	6	5
2	9	1	8	5	6	4	3	7
5	1	4	9	7	2	3	8	6
7	6	9	1	3	8	5	2	4
8	3	2	6	4	5	7	9	1
9	7	3	2	1	4	6	5	8
4	2	6	5	8	9	1	7	3
1	8	5	3	6	7	2	4	9

45

5	2	3	4	1	9	6	7	8
8	7	1	6	5	3	9	2	4
9	4	6	8	2	7	5	3	1
4	1	8	2	6	5	7	9	3
2	5	7	3	9	8	1	4	6
3	6	9	7	4	1	8	5	2
6	3	5	1	7	2	4	8	9
7	8	4	9	3	6	2	1	5
1	9	2	5	8	4	3	6	7

46

4	3	1	6	2	5	9	8	7
5	7	9	3	8	1	2	4	6
6	8	2	4	9	7	3	5	1
8	1	3	5	6	9	7	2	4
2	4	6	1	7	8	5	3	9
9	5	7	2	4	3	6	1	8
3	6	8	7	5	4	1	9	2
1	2	4	9	3	6	8	7	5
7	9	5	8	1	2	4	6	3

47

8	4	1	7	5	3	6	2	9
2	6	7	9	8	4	5	1	3
3	9	5	2	6	1	8	4	7
7	2	4	3	1	8	9	6	5
6	3	8	5	2	9	1	7	4
5	1	9	6	4	7	2	3	8
9	7	2	1	3	5	4	8	6
1	8	3	4	9	6	7	5	2
4	5	6	8	7	2	3	9	1

48

2	3	8	7	4	6	9	1	5
5	9	7	2	1	3	4	6	8
6	1	4	9	5	8	2	3	7
3	4	1	5	8	9	6	7	2
7	8	5	4	6	2	3	9	1
9	6	2	1	3	7	5	8	4
1	7	3	6	2	5	8	4	9
8	5	9	3	7	4	1	2	6
4	2	6	8	9	1	7	5	3

49

2	3	7	6	8	9	4	5	1
1	9	6	5	7	4	2	3	8
4	8	5	1	3	2	6	9	7
8	7	9	3	2	5	1	4	6
6	5	1	7	4	8	9	2	3
3	4	2	9	6	1	7	8	5
9	1	4	8	5	6	3	7	2
7	6	8	2	9	3	5	1	4
5	2	3	4	1	7	8	6	9

50

8	5	4	3	6	2	9	7	1
1	6	9	4	8	7	2	5	3
2	7	3	1	5	9	8	4	6
5	2	7	6	9	4	1	3	8
9	3	6	8	1	5	7	2	4
4	8	1	7	2	3	6	9	5
7	4	8	2	3	6	5	1	9
3	1	5	9	7	8	4	6	2
6	9	2	5	4	1	3	8	7

51

2	9	4	7	6	1	5	3	8
3	6	5	4	2	8	7	9	1
8	1	7	3	9	5	2	6	4
7	4	2	6	1	3	8	5	9
9	3	6	8	5	2	4	1	7
5	8	1	9	4	7	6	2	3
1	2	9	5	8	4	3	7	6
6	7	8	2	3	9	1	4	5
4	5	3	1	7	6	9	8	2

52

4	2	6	9	1	8	7	3	5
3	5	7	4	2	6	9	1	8
9	1	8	5	3	7	4	6	2
7	9	1	3	4	2	8	5	6
2	6	4	7	8	5	1	9	3
8	3	5	1	6	9	2	7	4
6	8	3	2	9	1	5	4	7
1	7	2	6	5	4	3	8	9
5	4	9	8	7	3	6	2	1

53

7	1	9	8	3	4	2	5	6
4	5	6	9	2	1	7	8	3
2	8	3	7	5	6	1	4	9
6	4	7	2	8	9	5	3	1
8	2	5	4	1	3	9	6	7
9	3	1	6	7	5	8	2	4
3	6	2	5	9	7	4	1	8
1	9	8	3	4	2	6	7	5
5	7	4	1	6	8	3	9	2

54

3	9	6	4	2	7	1	5	8
7	1	5	8	3	9	2	6	4
4	8	2	6	5	1	9	3	7
5	2	3	1	7	4	8	9	6
8	6	1	5	9	2	4	7	3
9	7	4	3	8	6	5	2	1
1	5	8	9	6	3	7	4	2
6	4	7	2	1	5	3	8	9
2	3	9	7	4	8	6	1	5

55

3	8	1	4	9	5	6	2	7
2	6	5	7	3	1	8	4	9
4	7	9	2	6	8	1	3	5
8	4	3	5	2	6	9	7	1
7	1	2	3	8	9	5	6	4
9	5	6	1	7	4	2	8	3
1	3	8	6	5	7	4	9	2
6	2	4	9	1	3	7	5	8
5	9	7	8	4	2	3	1	6

56

9	8	3	2	5	4	7	6	1
2	5	4	7	1	6	8	9	3
7	1	6	8	3	9	2	4	5
6	2	5	4	7	8	3	1	9
4	3	1	5	9	2	6	7	8
8	7	9	3	6	1	5	2	4
5	9	2	1	8	7	4	3	6
3	6	7	9	4	5	1	8	2
1	4	8	6	2	3	9	5	7

57

5	2	7	6	4	9	8	1	3
1	3	6	8	2	7	9	4	5
4	8	9	3	1	5	7	6	2
2	9	4	7	5	1	3	8	6
6	1	5	4	8	3	2	9	7
3	7	8	2	9	6	1	5	4
9	5	2	1	7	4	6	3	8
7	6	1	5	3	8	4	2	9
8	4	3	9	6	2	5	7	1

58

5	3	1	9	2	7	8	6	4
6	9	2	1	8	4	3	5	7
8	7	4	6	5	3	9	1	2
1	5	3	8	7	6	2	4	9
2	6	9	3	4	1	7	8	5
7	4	8	5	9	2	6	3	1
3	1	5	7	6	9	4	2	8
4	8	7	2	3	5	1	9	6
9	2	6	4	1	8	5	7	3

59

7	1	2	3	5	9	6	8	4
6	3	9	7	4	8	1	5	2
4	5	8	2	1	6	3	7	9
5	4	3	1	7	2	8	9	6
9	6	7	4	8	3	2	1	5
2	8	1	6	9	5	7	4	3
8	9	6	5	2	1	4	3	7
3	7	5	8	6	4	9	2	1
1	2	4	9	3	7	5	6	8

60

7	9	6	4	8	1	2	3	5
8	4	5	7	2	3	6	1	9
3	2	1	9	5	6	7	4	8
4	6	8	2	1	7	5	9	3
1	5	9	6	3	8	4	7	2
2	7	3	5	4	9	1	8	6
6	1	2	3	9	4	8	5	7
5	3	4	8	7	2	9	6	1
9	8	7	1	6	5	3	2	4

61

6	7	9	5	4	3	2	1	8
2	8	3	1	6	7	5	4	9
5	1	4	2	9	8	3	6	7
8	4	7	3	5	1	9	2	6
9	6	5	7	2	4	1	8	3
1	3	2	9	8	6	4	7	5
7	9	1	6	3	2	8	5	4
3	2	8	4	7	5	6	9	1
4	5	6	8	1	9	7	3	2

62

8	5	4	2	6	9	7	3	1
1	3	2	8	5	7	6	4	9
6	7	9	3	1	4	2	5	8
3	2	7	9	4	6	1	8	5
4	8	5	1	3	2	9	7	6
9	1	6	7	8	5	4	2	3
7	6	3	4	9	8	5	1	2
5	4	8	6	2	1	3	9	7
2	9	1	5	7	3	8	6	4

63

8	6	7	4	2	3	9	1	5
2	1	9	6	5	7	3	8	4
4	5	3	8	1	9	6	7	2
6	3	4	9	8	2	7	5	1
7	2	8	1	6	5	4	9	3
5	9	1	3	7	4	2	6	8
3	8	6	7	4	1	5	2	9
1	4	2	5	9	6	8	3	7
9	7	5	2	3	8	1	4	6

64

8	6	7	5	2	1	4	9	3
5	4	2	8	3	9	7	6	1
9	1	3	6	7	4	2	8	5
3	9	4	2	5	7	8	1	6
7	5	6	4	1	8	3	2	9
2	8	1	9	6	3	5	7	4
6	2	8	1	4	5	9	3	7
1	7	5	3	9	2	6	4	8
4	3	9	7	8	6	1	5	2

65

9	3	7	6	2	1	8	5	4
5	8	4	7	9	3	1	2	6
2	1	6	5	4	8	7	9	3
3	5	9	4	6	7	2	1	8
6	7	8	9	1	2	3	4	5
4	2	1	8	3	5	9	6	7
1	6	3	2	7	4	5	8	9
8	4	2	3	5	9	6	7	1
7	9	5	1	8	6	4	3	2

66

1	7	2	6	3	5	9	8	4
9	3	6	7	4	8	5	2	1
4	5	8	1	2	9	3	6	7
8	1	7	3	5	6	2	4	9
3	4	5	9	8	2	7	1	6
6	2	9	4	1	7	8	3	5
5	6	3	8	9	1	4	7	2
2	8	1	5	7	4	6	9	3
7	9	4	2	6	3	1	5	8

67

3	5	7	2	9	6	8	1	4
1	8	9	7	4	5	3	6	2
6	2	4	8	1	3	5	7	9
7	3	5	1	6	9	4	2	8
2	6	8	4	3	7	1	9	5
4	9	1	5	2	8	7	3	6
8	1	2	6	7	4	9	5	3
5	7	3	9	8	2	6	4	1
9	4	6	3	5	1	2	8	7

68

2	4	6	1	5	3	7	8	9
8	9	1	4	6	7	2	5	3
5	3	7	8	2	9	6	1	4
9	8	5	2	3	4	1	7	6
6	1	4	7	8	5	3	9	2
3	7	2	6	9	1	8	4	5
1	5	9	3	7	6	4	2	8
4	6	8	9	1	2	5	3	7
7	2	3	5	4	8	9	6	1

69

2	6	1	3	4	9	7	8	5
9	8	7	6	5	1	2	4	3
3	5	4	7	8	2	1	9	6
8	7	3	9	2	6	4	5	1
6	1	2	4	7	5	8	3	9
5	4	9	1	3	8	6	2	7
1	3	6	2	9	4	5	7	8
4	9	5	8	6	7	3	1	2
7	2	8	5	1	3	9	6	4

70

8	6	4	5	2	7	1	9	3
3	5	1	8	9	6	7	2	4
7	2	9	1	4	3	6	5	8
6	7	8	9	5	1	4	3	2
5	4	3	6	8	2	9	7	1
1	9	2	3	7	4	8	6	5
4	1	7	2	3	9	5	8	6
2	8	6	7	1	5	3	4	9
9	3	5	4	6	8	2	1	7

71

8	6	4	9	3	7	1	5	2
9	5	2	8	6	1	4	3	7
7	3	1	2	5	4	6	8	9
3	4	7	1	2	6	8	9	5
5	1	8	3	4	9	7	2	6
2	9	6	5	7	8	3	1	4
1	7	9	6	8	2	5	4	3
6	2	3	4	1	5	9	7	8
4	8	5	7	9	3	2	6	1

72

2	4	1	9	8	3	6	5	7
6	5	8	7	1	2	3	4	9
3	9	7	6	5	4	2	8	1
4	6	9	2	3	5	1	7	8
1	2	3	8	7	9	5	6	4
8	7	5	1	4	6	9	3	2
7	1	6	5	9	8	4	2	3
5	8	4	3	2	1	7	9	6
9	3	2	4	6	7	8	1	5

73

6	4	9	8	3	1	7	5	2
5	1	8	6	7	2	4	3	9
3	7	2	9	4	5	6	8	1
7	6	3	5	9	8	1	2	4
4	8	5	1	2	7	3	9	6
9	2	1	4	6	3	5	7	8
1	3	4	7	8	9	2	6	5
8	5	7	2	1	6	9	4	3
2	9	6	3	5	4	8	1	7

74

1	3	5	4	7	6	9	8	2
2	7	4	9	8	3	5	1	6
6	8	9	2	1	5	3	4	7
7	2	6	5	9	1	8	3	4
8	4	1	3	6	7	2	5	9
9	5	3	8	4	2	6	7	1
4	9	2	7	5	8	1	6	3
5	1	7	6	3	9	4	2	8
3	6	8	1	2	4	7	9	5

75

8	7	2	4	6	9	1	3	5
1	4	3	2	5	8	9	7	6
9	6	5	1	3	7	8	2	4
4	3	7	8	9	2	6	5	1
5	9	8	6	7	1	3	4	2
2	1	6	5	4	3	7	9	8
7	2	1	3	8	5	4	6	9
6	5	9	7	1	4	2	8	3
3	8	4	9	2	6	5	1	7

76

5	6	8	2	4	9	7	1	3
3	2	7	6	5	1	4	8	9
1	9	4	8	7	3	6	2	5
2	8	6	5	1	7	9	3	4
9	7	1	4	3	6	8	5	2
4	5	3	9	8	2	1	7	6
8	1	5	3	9	4	2	6	7
7	4	2	1	6	5	3	9	8
6	3	9	7	2	8	5	4	1

77

4	3	6	8	7	9	1	2	5
8	9	1	3	5	2	4	6	7
7	2	5	4	1	6	3	8	9
5	6	4	2	3	8	7	9	1
1	8	3	7	9	5	2	4	6
9	7	2	1	6	4	5	3	8
6	1	9	5	2	3	8	7	4
3	4	7	9	8	1	6	5	2
2	5	8	6	4	7	9	1	3

78

8	5	9	4	1	6	2	7	3
4	6	3	9	7	2	1	5	8
1	7	2	8	5	3	9	4	6
5	8	7	1	2	4	6	3	9
2	1	4	3	6	9	5	8	7
3	9	6	5	8	7	4	2	1
7	3	1	6	4	5	8	9	2
6	2	5	7	9	8	3	1	4
9	4	8	2	3	1	7	6	5

79

3	8	6	4	2	5	7	1	9
1	9	7	3	8	6	5	2	4
5	4	2	7	9	1	6	8	3
7	5	8	6	4	2	3	9	1
2	1	4	9	5	3	8	7	6
9	6	3	1	7	8	4	5	2
6	3	5	8	1	9	2	4	7
8	7	1	2	3	4	9	6	5
4	2	9	5	6	7	1	3	8

80

9	6	7	3	2	1	4	5	8
1	4	5	9	7	8	3	6	2
8	3	2	4	6	5	7	9	1
2	5	6	8	3	4	9	1	7
4	7	8	2	1	9	6	3	5
3	9	1	7	5	6	2	8	4
7	2	9	1	8	3	5	4	6
6	1	3	5	4	7	8	2	9
5	8	4	6	9	2	1	7	3

81

7	2	9	5	8	3	6	1	4
1	3	6	4	2	9	5	7	8
4	8	5	1	6	7	3	2	9
9	1	7	8	3	6	4	5	2
2	4	8	7	5	1	9	6	3
5	6	3	2	9	4	7	8	1
6	9	2	3	1	5	8	4	7
8	5	4	9	7	2	1	3	6
3	7	1	6	4	8	2	9	5

82

8	3	7	5	1	6	4	2	9
9	6	1	4	3	2	5	7	8
5	4	2	7	8	9	1	3	6
2	5	8	1	6	7	9	4	3
4	7	6	9	5	3	8	1	2
1	9	3	2	4	8	7	6	5
6	2	4	8	7	5	3	9	1
7	8	9	3	2	1	6	5	4
3	1	5	6	9	4	2	8	7

83

5	6	1	7	3	2	4	9	8
3	2	4	9	6	8	5	7	1
9	7	8	1	5	4	3	6	2
8	1	5	3	7	6	9	2	4
2	3	7	4	8	9	6	1	5
4	9	6	5	2	1	7	8	3
1	4	2	6	9	3	8	5	7
7	8	9	2	4	5	1	3	6
6	5	3	8	1	7	2	4	9

84

6	2	1	3	5	9	7	4	8
5	8	4	2	7	6	9	3	1
7	9	3	8	1	4	5	6	2
9	7	8	4	2	3	1	5	6
3	6	2	1	9	5	4	8	7
4	1	5	6	8	7	3	2	9
1	5	6	7	4	2	8	9	3
8	3	9	5	6	1	2	7	4
2	4	7	9	3	8	6	1	5

85

9	2	3	1	4	5	8	7	6
1	7	8	6	9	2	4	3	5
5	6	4	3	8	7	9	1	2
3	8	1	4	5	9	6	2	7
4	5	7	8	2	6	1	9	3
2	9	6	7	3	1	5	8	4
7	3	5	9	1	4	2	6	8
8	1	2	5	6	3	7	4	9
6	4	9	2	7	8	3	5	1

86

9	1	8	3	2	6	7	5	4
3	4	7	1	9	5	6	2	8
5	2	6	7	4	8	1	3	9
6	9	3	4	8	2	5	1	7
7	8	1	5	3	9	2	4	6
2	5	4	6	7	1	9	8	3
4	6	2	9	5	3	8	7	1
8	3	9	2	1	7	4	6	5
1	7	5	8	6	4	3	9	2

87

3	9	1	4	2	8	5	6	7
6	2	4	5	1	7	3	9	8
5	7	8	9	6	3	1	4	2
7	8	9	1	5	6	2	3	4
2	6	3	7	4	9	8	5	1
4	1	5	8	3	2	9	7	6
8	3	6	2	7	5	4	1	9
9	4	7	3	8	1	6	2	5
1	5	2	6	9	4	7	8	3

88

4	9	2	6	7	1	3	5	8
8	3	7	2	9	5	6	1	4
1	5	6	3	4	8	9	7	2
3	8	9	1	6	2	7	4	5
7	4	1	9	5	3	2	8	6
2	6	5	7	8	4	1	9	3
9	2	8	4	1	6	5	3	7
5	7	3	8	2	9	4	6	1
6	1	4	5	3	7	8	2	9

89

8	3	7	5	9	6	2	1	4
1	4	5	8	3	2	9	6	7
2	6	9	1	7	4	8	5	3
6	2	1	4	5	7	3	8	9
4	9	3	6	1	8	7	2	5
7	5	8	9	2	3	6	4	1
3	7	4	2	6	5	1	9	8
5	1	2	3	8	9	4	7	6
9	8	6	7	4	1	5	3	2

90

9	2	8	4	5	3	7	6	1
6	5	3	7	9	1	4	2	8
1	7	4	2	6	8	3	9	5
2	1	5	9	7	4	6	8	3
4	3	7	6	8	5	2	1	9
8	6	9	3	1	2	5	7	4
3	9	6	1	4	7	8	5	2
5	4	1	8	2	6	9	3	7
7	8	2	5	3	9	1	4	6

9/1

2	4	8	3	1	9	6	7	5
6	1	3	4	5	7	9	2	8
9	5	7	6	2	8	4	3	1
5	3	9	1	7	2	8	4	6
8	7	6	9	4	5	3	1	2
4	2	1	8	6	3	7	5	9
3	8	2	7	9	1	5	6	4
1	9	4	5	3	6	2	8	7
7	6	5	2	8	4	1	9	3

9/2

1	7	2	5	4	8	6	9	3
9	8	5	2	6	3	7	4	1
3	4	6	9	7	1	2	5	8
6	2	7	3	1	5	4	8	9
8	5	1	7	9	4	3	2	6
4	9	3	6	8	2	5	1	7
2	6	4	1	3	9	8	7	5
5	3	9	8	2	7	1	6	4
7	1	8	4	5	6	9	3	2

9/3

8	7	9	5	2	4	6	1	3
4	6	1	9	3	7	8	2	5
5	3	2	6	8	1	9	4	7
1	5	6	2	7	8	4	3	9
2	4	8	3	9	6	5	7	1
7	9	3	4	1	5	2	6	8
3	2	5	1	4	9	7	8	6
9	1	7	8	6	2	3	5	4
6	8	4	7	5	3	1	9	2

9/4

1	9	5	7	8	4	2	3	6
2	7	6	5	1	3	4	8	9
3	4	8	2	9	6	1	5	7
5	1	7	6	2	9	8	4	3
9	2	3	8	4	7	6	1	5
6	8	4	1	3	5	9	7	2
7	6	1	4	5	2	3	9	8
4	5	9	3	6	8	7	2	1
8	3	2	9	7	1	5	6	4

9/5

5	7	8	6	3	1	2	9	4
4	9	3	7	2	5	1	8	6
1	2	6	8	9	4	5	7	3
2	5	9	1	7	6	3	4	8
6	8	4	3	5	2	7	1	9
3	1	7	9	4	8	6	2	5
8	6	5	2	1	9	4	3	7
9	3	1	4	6	7	8	5	2
7	4	2	5	8	3	9	6	1

9/6

8	5	1	6	9	3	7	2	4
6	7	9	5	4	2	1	3	8
3	4	2	7	1	8	5	9	6
1	6	5	3	8	4	9	7	2
7	3	8	9	2	6	4	1	5
9	2	4	1	5	7	8	6	3
4	1	3	8	6	9	2	5	7
5	8	7	2	3	1	6	4	9
2	9	6	4	7	5	3	8	1

97

9	6	3	4	7	8	1	2	5
8	1	2	3	5	6	9	4	7
7	5	4	9	1	2	3	6	8
1	4	5	8	9	7	2	3	6
2	7	8	6	3	1	4	5	9
6	3	9	2	4	5	7	8	1
4	8	6	1	2	9	5	7	3
3	9	7	5	6	4	8	1	2
5	2	1	7	8	3	6	9	4

98

8	2	1	7	4	9	5	6	3
3	9	7	2	5	6	4	1	8
6	4	5	3	8	1	7	9	2
4	5	9	6	3	7	8	2	1
7	3	8	4	1	2	9	5	6
2	1	6	8	9	5	3	4	7
9	6	2	5	7	8	1	3	4
5	8	3	1	2	4	6	7	9
1	7	4	9	6	3	2	8	5

99

5	4	9	8	1	3	6	7	2
1	7	8	5	2	6	9	3	4
6	3	2	9	4	7	5	1	8
9	6	5	3	7	4	8	2	1
8	1	4	6	5	2	7	9	3
3	2	7	1	8	9	4	6	5
2	5	1	7	9	8	3	4	6
4	9	6	2	3	5	1	8	7
7	8	3	4	6	1	2	5	9

100

1	5	2	7	4	8	9	3	6
6	7	8	5	3	9	2	4	1
4	9	3	2	6	1	7	8	5
7	6	4	3	8	2	5	1	9
3	8	5	1	9	6	4	7	2
2	1	9	4	7	5	3	6	8
8	3	6	9	5	4	1	2	7
9	2	7	6	1	3	8	5	4
5	4	1	8	2	7	6	9	3

101

5	3	9	6	4	1	7	2	8
7	8	1	9	2	3	4	5	6
6	2	4	7	8	5	9	3	1
8	9	5	3	7	4	6	1	2
3	7	2	1	5	6	8	9	4
1	4	6	2	9	8	3	7	5
9	5	3	8	6	2	1	4	7
4	1	8	5	3	7	2	6	9
2	6	7	4	1	9	5	8	3

102

6	5	7	3	2	1	4	8	9
8	1	3	4	9	7	6	5	2
4	2	9	8	6	5	3	1	7
2	9	6	5	8	3	1	7	4
7	4	5	2	1	9	8	6	3
3	8	1	6	7	4	9	2	5
5	3	8	7	4	6	2	9	1
9	7	2	1	3	8	5	4	6
1	6	4	9	5	2	7	3	8

103

4	6	2	8	3	5	1	7	9
5	7	8	2	9	1	6	3	4
9	3	1	7	6	4	8	5	2
1	4	3	6	7	9	5	2	8
2	9	5	3	1	8	4	6	7
7	8	6	5	4	2	3	9	1
6	1	7	9	8	3	2	4	5
8	2	9	4	5	6	7	1	3
3	5	4	1	2	7	9	8	6

104

6	7	8	5	4	3	1	9	2
1	4	9	6	7	2	5	3	8
2	3	5	8	1	9	4	6	7
4	8	1	9	2	5	3	7	6
3	5	7	1	6	8	9	2	4
9	6	2	7	3	4	8	1	5
5	2	4	3	9	6	7	8	1
7	9	6	4	8	1	2	5	3
8	1	3	2	5	7	6	4	9

105

4	8	1	2	7	5	9	3	6
3	2	5	6	8	9	4	1	7
6	7	9	3	4	1	2	8	5
7	3	6	8	1	4	5	2	9
2	5	4	9	3	6	8	7	1
1	9	8	5	2	7	6	4	3
8	6	3	7	9	2	1	5	4
5	4	7	1	6	8	3	9	2
9	1	2	4	5	3	7	6	8

106

1	6	9	4	7	3	8	2	5
3	2	7	5	8	6	4	9	1
5	4	8	2	1	9	3	7	6
8	5	2	6	4	7	1	3	9
6	1	3	9	2	5	7	4	8
7	9	4	8	3	1	6	5	2
2	7	6	1	9	4	5	8	3
4	8	5	3	6	2	9	1	7
9	3	1	7	5	8	2	6	4

107

4	5	8	7	2	9	1	6	3
2	1	6	4	8	3	5	9	7
7	3	9	5	1	6	4	8	2
5	9	3	8	4	1	7	2	6
6	8	2	3	7	5	9	1	4
1	7	4	9	6	2	3	5	8
3	2	5	6	9	4	8	7	1
9	6	7	1	3	8	2	4	5
8	4	1	2	5	7	6	3	9

108

8	9	6	3	1	5	2	7	4
2	4	5	7	8	6	9	3	1
7	1	3	2	9	4	6	8	5
4	5	8	1	7	9	3	2	6
1	3	9	8	6	2	4	5	7
6	2	7	5	4	3	1	9	8
5	8	4	9	3	1	7	6	2
9	7	1	6	2	8	5	4	3
3	6	2	4	5	7	8	1	9

109

5	6	8	4	2	3	9	1	7
7	1	4	6	8	9	3	2	5
3	2	9	5	1	7	6	4	8
8	9	2	3	5	1	7	6	4
6	4	7	8	9	2	1	5	3
1	5	3	7	6	4	8	9	2
4	7	1	2	3	6	5	8	9
2	8	6	9	7	5	4	3	1
9	3	5	1	4	8	2	7	6

110

4	6	2	8	5	7	1	9	3
5	9	8	4	1	3	6	2	7
7	1	3	9	6	2	5	4	8
6	3	4	1	7	9	2	8	5
8	5	1	6	2	4	7	3	9
2	7	9	5	3	8	4	6	1
1	2	6	3	8	5	9	7	4
9	8	5	7	4	6	3	1	2
3	4	7	2	9	1	8	5	6

111

5	9	7	6	1	8	4	3	2
6	4	8	3	2	7	9	5	1
3	2	1	9	5	4	6	8	7
7	1	3	5	8	9	2	6	4
8	5	4	2	6	1	7	9	3
2	6	9	7	4	3	8	1	5
9	8	2	4	3	5	1	7	6
1	3	6	8	7	2	5	4	9
4	7	5	1	9	6	3	2	8

112

5	8	7	4	9	1	3	6	2
6	3	4	5	7	2	9	8	1
2	1	9	8	6	3	4	7	5
7	6	5	1	4	9	8	2	3
3	9	8	6	2	7	5	1	4
4	2	1	3	5	8	6	9	7
9	4	3	2	1	6	7	5	8
8	7	2	9	3	5	1	4	6
1	5	6	7	8	4	2	3	9

113

4	6	7	1	3	2	5	9	8
5	8	1	7	4	9	6	3	2
3	9	2	8	5	6	4	1	7
9	1	8	3	6	4	2	7	5
2	7	5	9	8	1	3	6	4
6	4	3	2	7	5	1	8	9
1	2	4	6	9	8	7	5	3
8	3	6	5	2	7	9	4	1
7	5	9	4	1	3	8	2	6

114

2	6	7	9	8	1	4	3	5
4	8	1	6	5	3	2	7	9
5	9	3	4	2	7	6	1	8
1	3	6	2	9	5	8	4	7
9	4	8	3	7	6	5	2	1
7	5	2	8	1	4	9	6	3
6	1	9	5	3	2	7	8	4
3	2	5	7	4	8	1	9	6
8	7	4	1	6	9	3	5	2

115

7	2	5	6	4	1	3	9	8
3	9	1	5	7	8	6	2	4
8	6	4	2	9	3	7	1	5
4	1	9	7	6	2	8	5	3
2	5	8	3	1	4	9	6	7
6	7	3	9	8	5	1	4	2
9	8	6	4	2	7	5	3	1
5	4	7	1	3	6	2	8	9
1	3	2	8	5	9	4	7	6

116

4	1	2	7	3	9	5	6	8
8	3	5	4	1	6	7	2	9
7	9	6	5	2	8	1	4	3
1	7	8	6	9	4	3	5	2
6	4	9	3	5	2	8	1	7
5	2	3	1	8	7	6	9	4
2	5	7	8	4	1	9	3	6
3	8	4	9	6	5	2	7	1
9	6	1	2	7	3	4	8	5

117

5	7	8	4	3	1	9	6	2
3	9	6	8	7	2	4	5	1
2	4	1	5	6	9	7	3	8
9	3	2	6	8	7	5	1	4
6	5	4	1	9	3	2	8	7
1	8	7	2	5	4	3	9	6
7	1	5	9	2	8	6	4	3
4	6	3	7	1	5	8	2	9
8	2	9	3	4	6	1	7	5

118

6	1	9	8	2	5	4	7	3
3	5	7	9	4	1	8	2	6
8	2	4	7	6	3	9	5	1
1	6	8	5	9	7	2	3	4
5	7	3	4	8	2	1	6	9
4	9	2	1	3	6	7	8	5
9	4	6	2	5	8	3	1	7
7	8	5	3	1	4	6	9	2
2	3	1	6	7	9	5	4	8

119

5	8	4	9	1	3	2	6	7
3	7	6	4	5	2	8	1	9
1	9	2	6	7	8	3	4	5
4	2	5	8	6	1	9	7	3
9	1	7	3	2	4	5	8	6
8	6	3	5	9	7	4	2	1
2	4	1	7	3	9	6	5	8
7	5	9	2	8	6	1	3	4
6	3	8	1	4	5	7	9	2

120

2	8	5	7	1	3	4	6	9
3	6	4	8	2	9	1	7	5
9	7	1	6	4	5	8	3	2
4	1	2	5	8	6	3	9	7
6	5	3	9	7	1	2	4	8
8	9	7	4	3	2	6	5	1
7	3	8	2	5	4	9	1	6
5	4	6	1	9	8	7	2	3
1	2	9	3	6	7	5	8	4

121

5	9	6	8	7	3	2	1	4
8	7	1	4	9	2	6	5	3
4	3	2	6	5	1	7	8	9
7	1	5	2	4	9	8	3	6
2	6	3	7	1	8	4	9	5
9	4	8	5	3	6	1	7	2
6	8	9	3	2	7	5	4	1
3	2	4	1	8	5	9	6	7
1	5	7	9	6	4	3	2	8

122

7	3	5	6	1	8	9	4	2
8	4	6	7	9	2	1	5	3
2	1	9	3	5	4	7	8	6
5	9	4	8	3	6	2	7	1
6	8	3	1	2	7	4	9	5
1	7	2	5	4	9	6	3	8
9	2	8	4	6	5	3	1	7
4	5	1	2	7	3	8	6	9
3	6	7	9	8	1	5	2	4

123

9	3	5	2	6	8	4	1	7
8	4	7	1	9	3	6	5	2
2	6	1	7	4	5	9	8	3
3	8	9	5	1	4	7	2	6
7	1	2	9	8	6	5	3	4
6	5	4	3	7	2	1	9	8
4	2	6	8	5	9	3	7	1
5	7	8	4	3	1	2	6	9
1	9	3	6	2	7	8	4	5

124

6	3	4	2	8	9	5	1	7
1	5	7	4	3	6	9	8	2
8	2	9	1	5	7	6	3	4
5	4	2	6	9	1	3	7	8
7	9	1	8	4	3	2	5	6
3	6	8	7	2	5	1	4	9
4	1	6	3	7	2	8	9	5
2	7	5	9	1	8	4	6	3
9	8	3	5	6	4	7	2	1

125

1	9	3	4	6	5	2	7	8
5	8	4	3	7	2	6	9	1
7	2	6	1	8	9	4	5	3
9	5	2	8	3	1	7	6	4
3	6	7	5	9	4	8	1	2
8	4	1	6	2	7	9	3	5
6	1	9	2	5	8	3	4	7
4	7	8	9	1	3	5	2	6
2	3	5	7	4	6	1	8	9

126

6	3	8	9	2	7	5	1	4
9	4	2	1	5	8	3	7	6
5	7	1	4	3	6	8	9	2
1	5	4	6	7	3	2	8	9
8	2	6	5	1	9	7	4	3
7	9	3	8	4	2	1	6	5
2	1	7	3	6	4	9	5	8
4	8	5	2	9	1	6	3	7
3	6	9	7	8	5	4	2	1

127

8	2	3	7	5	9	4	1	6
6	7	4	2	8	1	5	3	9
5	9	1	3	4	6	7	8	2
9	5	2	8	7	3	6	4	1
3	6	8	5	1	4	2	9	7
1	4	7	9	6	2	8	5	3
4	1	9	6	2	5	3	7	8
2	8	5	1	3	7	9	6	4
7	3	6	4	9	8	1	2	5

128

1	5	7	2	4	6	3	9	8
3	8	6	7	5	9	2	1	4
9	4	2	3	1	8	5	6	7
5	6	8	4	9	7	1	2	3
4	9	1	8	2	3	6	7	5
2	7	3	1	6	5	4	8	9
8	2	5	9	3	1	7	4	6
7	3	4	6	8	2	9	5	1
6	1	9	5	7	4	8	3	2

129

1	2	8	3	5	6	7	4	9
6	7	5	8	9	4	2	3	1
4	3	9	7	1	2	6	8	5
5	4	7	9	6	3	8	1	2
2	8	3	1	4	7	9	5	6
9	6	1	2	8	5	4	7	3
7	9	4	5	2	1	3	6	8
3	1	2	6	7	8	5	9	4
8	5	6	4	3	9	1	2	7

130

6	7	3	4	1	8	5	9	2
5	1	4	7	2	9	3	6	8
9	8	2	3	6	5	4	7	1
7	9	8	2	3	1	6	5	4
4	5	1	8	7	6	9	2	3
3	2	6	5	9	4	1	8	7
8	4	9	1	5	7	2	3	6
1	3	5	6	8	2	7	4	9
2	6	7	9	4	3	8	1	5

131

5	8	2	6	1	4	3	9	7
1	3	9	2	8	7	5	4	6
4	7	6	9	5	3	2	8	1
8	6	1	3	9	5	7	2	4
7	4	3	8	6	2	9	1	5
2	9	5	7	4	1	8	6	3
9	1	8	5	7	6	4	3	2
6	2	7	4	3	8	1	5	9
3	5	4	1	2	9	6	7	8

132

8	2	3	6	4	7	1	9	5
4	7	9	1	3	5	6	8	2
1	5	6	9	8	2	4	7	3
6	1	5	8	9	3	2	4	7
7	3	2	5	1	4	9	6	8
9	4	8	2	7	6	5	3	1
3	6	4	7	2	1	8	5	9
5	8	1	3	6	9	7	2	4
2	9	7	4	5	8	3	1	6

133

1	6	4	8	7	3	2	9	5
7	5	3	2	4	9	6	8	1
8	2	9	1	6	5	4	7	3
5	1	8	7	9	6	3	4	2
2	4	7	5	3	8	1	6	9
9	3	6	4	2	1	8	5	7
4	9	5	3	8	2	7	1	6
3	7	1	6	5	4	9	2	8
6	8	2	9	1	7	5	3	4

134

9	4	8	6	5	7	1	2	3
7	5	6	1	3	2	9	4	8
1	3	2	4	8	9	7	6	5
2	7	4	5	9	6	8	3	1
5	6	9	8	1	3	4	7	2
8	1	3	7	2	4	5	9	6
4	8	7	3	6	5	2	1	9
6	2	1	9	4	8	3	5	7
3	9	5	2	7	1	6	8	4

135

2	4	7	1	8	9	5	3	6
1	9	6	2	3	5	8	7	4
8	5	3	4	6	7	1	9	2
3	1	5	8	4	6	7	2	9
4	8	2	9	7	1	3	6	5
7	6	9	5	2	3	4	8	1
9	7	1	6	5	8	2	4	3
5	3	4	7	9	2	6	1	8
6	2	8	3	1	4	9	5	7

136

3	4	7	6	2	1	9	8	5
9	2	1	3	5	8	6	4	7
6	5	8	7	4	9	1	3	2
5	8	2	1	7	6	4	9	3
7	3	6	5	9	4	2	1	8
4	1	9	2	8	3	7	5	6
1	9	5	8	6	7	3	2	4
8	6	4	9	3	2	5	7	1
2	7	3	4	1	5	8	6	9

137

2	7	6	5	8	1	4	9	3
3	9	5	4	6	7	2	1	8
4	8	1	3	2	9	7	6	5
8	6	3	7	4	5	9	2	1
1	5	2	6	9	8	3	4	7
9	4	7	2	1	3	8	5	6
5	3	4	9	7	6	1	8	2
6	2	8	1	3	4	5	7	9
7	1	9	8	5	2	6	3	4

138

9	3	6	5	4	2	7	1	8
7	8	4	6	9	1	2	3	5
5	2	1	3	8	7	4	9	6
1	5	7	8	3	9	6	4	2
2	6	9	4	1	5	8	7	3
3	4	8	2	7	6	9	5	1
6	1	2	7	5	4	3	8	9
4	9	3	1	6	8	5	2	7
8	7	5	9	2	3	1	6	4

139

9	8	6	4	1	7	3	5	2
7	4	2	8	5	3	1	6	9
5	1	3	2	9	6	4	8	7
4	7	1	6	2	5	8	9	3
3	9	5	1	8	4	2	7	6
6	2	8	3	7	9	5	4	1
1	3	9	5	6	8	7	2	4
8	6	4	7	3	2	9	1	5
2	5	7	9	4	1	6	3	8

140

7	2	3	1	9	5	4	8	6
1	4	9	3	8	6	5	7	2
8	6	5	7	2	4	3	9	1
5	3	7	8	1	9	6	2	4
2	8	6	5	4	3	9	1	7
9	1	4	6	7	2	8	3	5
3	9	1	4	6	7	2	5	8
6	7	2	9	5	8	1	4	3
4	5	8	2	3	1	7	6	9

141

3	6	4	9	5	8	1	7	2
5	8	1	3	2	7	9	6	4
7	2	9	1	4	6	8	5	3
9	5	2	4	6	3	7	1	8
1	4	7	8	9	5	2	3	6
6	3	8	2	7	1	5	4	9
8	1	5	6	3	9	4	2	7
4	7	6	5	8	2	3	9	1
2	9	3	7	1	4	6	8	5

142

2	5	1	9	3	6	4	8	7
9	6	8	1	7	4	2	3	5
3	4	7	5	8	2	1	9	6
5	8	6	3	2	1	7	4	9
1	7	3	4	6	9	5	2	8
4	2	9	7	5	8	6	1	3
6	1	2	8	9	5	3	7	4
8	3	4	6	1	7	9	5	2
7	9	5	2	4	3	8	6	1

143

5	9	7	3	2	6	4	1	8
2	1	4	7	8	5	3	9	6
6	3	8	9	4	1	7	2	5
3	8	1	2	5	7	9	6	4
4	7	2	1	6	9	5	8	3
9	6	5	8	3	4	2	7	1
1	4	3	6	9	2	8	5	7
7	5	9	4	1	8	6	3	2
8	2	6	5	7	3	1	4	9

144

4	6	5	1	2	7	3	9	8
1	2	9	5	3	8	6	4	7
3	7	8	9	4	6	1	2	5
2	5	7	3	6	1	9	8	4
9	8	3	2	5	4	7	1	6
6	1	4	8	7	9	2	5	3
5	9	1	6	8	3	4	7	2
8	4	6	7	9	2	5	3	1
7	3	2	4	1	5	8	6	9

145

8	1	5	3	4	2	9	7	6
4	3	6	9	5	7	8	2	1
2	7	9	8	1	6	3	5	4
5	4	7	6	3	1	2	8	9
1	8	2	7	9	4	5	6	3
6	9	3	5	2	8	4	1	7
3	2	8	1	6	9	7	4	5
9	6	4	2	7	5	1	3	8
7	5	1	4	8	3	6	9	2

146

7	5	9	2	4	6	8	3	1
8	3	4	7	5	1	9	6	2
2	6	1	3	8	9	7	5	4
9	2	3	6	1	4	5	7	8
4	1	6	5	7	8	2	9	3
5	7	8	9	2	3	4	1	6
1	8	5	4	6	7	3	2	9
6	9	7	8	3	2	1	4	5
3	4	2	1	9	5	6	8	7

147

5	1	4	9	7	6	8	3	2
6	2	7	4	8	3	1	9	5
8	3	9	2	1	5	7	4	6
9	5	8	6	2	7	4	1	3
4	6	1	3	9	8	2	5	7
3	7	2	5	4	1	6	8	9
1	8	6	7	5	9	3	2	4
7	4	5	1	3	2	9	6	8
2	9	3	8	6	4	5	7	1

148

8	5	4	7	9	6	2	3	1
7	3	1	4	8	2	9	6	5
9	6	2	3	5	1	7	4	8
4	7	6	5	2	9	8	1	3
2	8	5	6	1	3	4	9	7
1	9	3	8	7	4	5	2	6
6	4	7	9	3	8	1	5	2
3	1	8	2	4	5	6	7	9
5	2	9	1	6	7	3	8	4

149

3	5	7	2	1	4	6	8	9
8	2	4	9	7	6	5	1	3
6	9	1	3	5	8	4	7	2
2	8	9	7	3	5	1	4	6
5	4	6	8	2	1	3	9	7
7	1	3	4	6	9	8	2	5
4	6	2	1	9	3	7	5	8
1	7	5	6	8	2	9	3	4
9	3	8	5	4	7	2	6	1

150

5	3	4	1	8	2	6	7	9
7	9	6	5	4	3	2	1	8
1	2	8	7	9	6	5	4	3
3	1	9	8	5	7	4	6	2
6	4	2	9	3	1	8	5	7
8	7	5	2	6	4	3	9	1
2	8	7	4	1	5	9	3	6
9	5	3	6	7	8	1	2	4
4	6	1	3	2	9	7	8	5

151

1	6	8	5	3	9	2	7	4
3	2	7	6	1	4	9	8	5
9	4	5	7	8	2	6	1	3
4	5	6	9	7	1	3	2	8
7	1	2	3	5	8	4	9	6
8	3	9	4	2	6	7	5	1
6	7	4	1	9	5	8	3	2
2	9	1	8	6	3	5	4	7
5	8	3	2	4	7	1	6	9

152

4	1	3	6	2	7	5	9	8
6	5	8	9	3	1	2	4	7
9	2	7	8	5	4	3	1	6
7	9	2	1	6	8	4	5	3
8	6	1	5	4	3	7	2	9
5	3	4	2	7	9	8	6	1
3	8	6	4	9	2	1	7	5
1	4	5	7	8	6	9	3	2
2	7	9	3	1	5	6	8	4

153

2	1	9	4	3	6	8	5	7
8	3	7	9	1	5	6	2	4
5	6	4	2	8	7	3	9	1
6	2	5	3	9	4	1	7	8
9	8	1	7	6	2	4	3	5
4	7	3	8	5	1	9	6	2
7	4	8	6	2	9	5	1	3
3	5	6	1	7	8	2	4	9
1	9	2	5	4	3	7	8	6

154

9	8	4	5	7	1	6	3	2
5	3	1	6	8	2	4	7	9
2	6	7	3	4	9	1	5	8
3	1	9	4	2	6	5	8	7
6	4	5	8	9	7	3	2	1
7	2	8	1	5	3	9	6	4
1	5	2	7	6	4	8	9	3
8	9	3	2	1	5	7	4	6
4	7	6	9	3	8	2	1	5

155

8	9	5	3	4	1	2	6	7
7	2	3	8	6	5	1	4	9
6	1	4	2	7	9	5	8	3
2	7	6	1	8	3	9	5	4
5	8	1	9	2	4	3	7	6
3	4	9	7	5	6	8	1	2
1	3	8	4	9	7	6	2	5
9	5	7	6	1	2	4	3	8
4	6	2	5	3	8	7	9	1

156

3	9	8	2	4	5	7	6	1
7	2	1	6	9	8	5	4	3
6	5	4	7	3	1	9	2	8
9	3	6	5	8	7	2	1	4
5	8	2	9	1	4	6	3	7
1	4	7	3	2	6	8	9	5
4	1	5	8	6	2	3	7	9
2	7	9	1	5	3	4	8	6
8	6	3	4	7	9	1	5	2

157

4	3	9	8	7	6	5	1	2
2	7	1	9	4	5	6	8	3
5	6	8	3	1	2	9	4	7
9	5	6	1	2	4	7	3	8
8	1	4	7	6	3	2	9	5
7	2	3	5	9	8	4	6	1
6	9	5	2	3	1	8	7	4
1	8	7	4	5	9	3	2	6
3	4	2	6	8	7	1	5	9

158

9	1	6	3	4	7	2	5	8
2	8	3	5	9	6	1	7	4
7	4	5	2	1	8	3	6	9
5	3	2	8	6	4	9	1	7
1	7	8	9	5	2	4	3	6
4	6	9	7	3	1	8	2	5
8	2	4	1	7	5	6	9	3
3	5	1	6	8	9	7	4	2
6	9	7	4	2	3	5	8	1

159

7	3	6	8	9	1	4	5	2
8	2	4	5	3	7	6	9	1
1	9	5	2	4	6	3	7	8
9	5	7	1	6	3	8	2	4
6	1	8	4	5	2	9	3	7
3	4	2	9	7	8	5	1	6
5	8	1	3	2	4	7	6	9
2	7	9	6	8	5	1	4	3
4	6	3	7	1	9	2	8	5

160

2	6	5	8	4	3	9	1	7
9	4	8	1	2	7	3	5	6
7	3	1	9	6	5	8	2	4
3	8	9	4	5	2	6	7	1
5	7	2	6	9	1	4	3	8
6	1	4	3	7	8	5	9	2
4	9	7	5	1	6	2	8	3
1	5	3	2	8	4	7	6	9
8	2	6	7	3	9	1	4	5

161

2	7	6	5	4	3	1	8	9
8	1	5	9	7	6	3	4	2
9	3	4	8	2	1	6	7	5
5	4	8	6	1	2	7	9	3
6	9	3	7	8	4	5	2	1
1	2	7	3	9	5	4	6	8
4	5	2	1	6	8	9	3	7
7	6	1	2	3	9	8	5	4
3	8	9	4	5	7	2	1	6

162

1	3	2	8	4	5	7	9	6
5	6	4	1	7	9	3	2	8
8	9	7	2	3	6	4	5	1
2	5	1	9	8	4	6	3	7
9	4	6	3	1	7	2	8	5
3	7	8	5	6	2	9	1	4
6	8	3	4	2	1	5	7	9
7	2	5	6	9	8	1	4	3
4	1	9	7	5	3	8	6	2

163

4	2	5	1	6	9	8	3	7
8	3	7	4	5	2	9	1	6
9	6	1	7	3	8	5	4	2
2	9	8	5	7	3	1	6	4
5	4	6	9	2	1	7	8	3
1	7	3	6	8	4	2	9	5
3	8	9	2	4	5	6	7	1
6	5	4	8	1	7	3	2	9
7	1	2	3	9	6	4	5	8

164

8	4	5	3	7	1	6	9	2
3	1	2	8	6	9	4	7	5
7	6	9	5	4	2	8	3	1
2	7	4	9	8	6	1	5	3
6	5	1	4	2	3	9	8	7
9	3	8	1	5	7	2	6	4
4	8	6	2	3	5	7	1	9
1	2	3	7	9	8	5	4	6
5	9	7	6	1	4	3	2	8

165

4	7	5	2	1	8	9	6	3
6	8	9	7	4	3	2	5	1
3	2	1	6	9	5	7	8	4
5	1	3	9	8	6	4	7	2
8	9	2	4	5	7	3	1	6
7	6	4	3	2	1	5	9	8
1	3	6	5	7	4	8	2	9
9	4	7	8	6	2	1	3	5
2	5	8	1	3	9	6	4	7

166

2	3	1	7	9	5	8	6	4
8	4	7	2	3	6	5	1	9
9	5	6	1	4	8	2	3	7
5	2	3	9	1	4	7	8	6
1	9	8	3	6	7	4	2	5
6	7	4	5	8	2	1	9	3
7	8	5	6	2	9	3	4	1
4	1	9	8	5	3	6	7	2
3	6	2	4	7	1	9	5	8

167

4	8	2	6	1	9	5	3	7
1	5	9	8	3	7	2	4	6
3	6	7	4	5	2	8	1	9
8	7	3	1	6	4	9	5	2
9	2	5	3	7	8	4	6	1
6	4	1	9	2	5	3	7	8
2	1	6	5	8	3	7	9	4
5	9	8	7	4	1	6	2	3
7	3	4	2	9	6	1	8	5

168

3	5	1	6	8	9	7	2	4
2	9	6	4	1	7	5	8	3
8	4	7	2	5	3	6	9	1
9	6	5	7	2	4	1	3	8
1	7	3	8	9	6	4	5	2
4	2	8	1	3	5	9	7	6
6	8	4	9	7	2	3	1	5
7	3	2	5	4	1	8	6	9
5	1	9	3	6	8	2	4	7

169

5	7	6	8	2	9	4	1	3
4	2	8	7	3	1	6	9	5
3	9	1	6	4	5	7	2	8
1	5	7	9	8	6	3	4	2
2	3	9	5	7	4	1	8	6
8	6	4	2	1	3	9	5	7
7	4	2	1	6	8	5	3	9
9	8	3	4	5	7	2	6	1
6	1	5	3	9	2	8	7	4

170

2	7	9	8	3	1	6	4	5
5	8	4	7	9	6	1	2	3
1	3	6	4	2	5	8	7	9
7	5	8	2	1	3	4	9	6
9	4	3	6	8	7	2	5	1
6	2	1	9	5	4	7	3	8
3	9	7	1	6	2	5	8	4
8	6	2	5	4	9	3	1	7
4	1	5	3	7	8	9	6	2

171

9	8	1	2	4	6	7	5	3
3	2	4	1	5	7	8	6	9
6	7	5	8	3	9	2	4	1
1	5	2	9	6	3	4	7	8
4	9	7	5	2	8	1	3	6
8	6	3	7	1	4	5	9	2
5	1	9	3	7	2	6	8	4
2	4	8	6	9	5	3	1	7
7	3	6	4	8	1	9	2	5

172

3	6	2	5	9	8	4	1	7
4	8	9	7	2	1	5	3	6
1	5	7	6	4	3	2	9	8
5	2	8	4	7	9	1	6	3
6	1	4	3	8	5	9	7	2
7	9	3	1	6	2	8	4	5
9	7	5	2	1	6	3	8	4
2	4	1	8	3	7	6	5	9
8	3	6	9	5	4	7	2	1

173

2	1	6	4	7	3	5	8	9
7	5	9	1	6	8	2	4	3
3	8	4	2	5	9	6	1	7
5	9	1	7	8	2	4	3	6
4	2	7	5	3	6	1	9	8
6	3	8	9	1	4	7	2	5
9	6	5	3	2	1	8	7	4
1	7	3	8	4	5	9	6	2
8	4	2	6	9	7	3	5	1

174

6	1	7	8	2	4	5	3	9
5	2	8	9	3	1	4	7	6
3	4	9	6	7	5	8	1	2
2	6	3	1	9	8	7	5	4
1	9	4	3	5	7	6	2	8
8	7	5	2	4	6	1	9	3
4	3	6	7	1	9	2	8	5
7	8	2	5	6	3	9	4	1
9	5	1	4	8	2	3	6	7

175

6	4	5	2	9	3	7	8	1
9	8	1	4	7	5	3	6	2
2	7	3	6	8	1	4	5	9
4	6	7	9	3	2	5	1	8
8	1	9	7	5	4	2	3	6
5	3	2	1	6	8	9	4	7
1	2	8	5	4	7	6	9	3
3	9	4	8	2	6	1	7	5
7	5	6	3	1	9	8	2	4

176

9	1	5	3	8	2	4	7	6
7	3	4	9	5	6	8	1	2
8	6	2	7	1	4	9	5	3
3	9	6	1	7	5	2	8	4
2	4	1	6	9	8	5	3	7
5	7	8	2	4	3	6	9	1
1	5	9	4	6	7	3	2	8
4	2	7	8	3	9	1	6	5
6	8	3	5	2	1	7	4	9

177

6	7	8	5	9	4	2	1	3
2	4	5	3	7	1	9	6	8
1	3	9	8	6	2	5	7	4
5	1	4	7	2	8	6	3	9
7	2	3	6	4	9	8	5	1
9	8	6	1	3	5	4	2	7
3	6	2	4	8	7	1	9	5
4	9	1	2	5	3	7	8	6
8	5	7	9	1	6	3	4	2

178

7	8	4	2	5	1	9	6	3
2	6	1	4	9	3	7	5	8
3	5	9	8	6	7	4	1	2
6	9	2	5	4	8	1	3	7
8	7	5	3	1	9	2	4	6
4	1	3	6	7	2	5	8	9
5	4	8	7	2	6	3	9	1
1	3	7	9	8	5	6	2	4
9	2	6	1	3	4	8	7	5

179

5	7	1	8	9	6	2	3	4
6	3	8	1	4	2	5	9	7
4	9	2	3	7	5	8	1	6
7	5	9	2	6	3	4	8	1
2	1	4	7	5	8	9	6	3
3	8	6	4	1	9	7	5	2
8	6	3	9	2	4	1	7	5
9	2	7	5	3	1	6	4	8
1	4	5	6	8	7	3	2	9

180

1	2	7	3	6	4	9	5	8
3	9	5	7	1	8	4	2	6
4	8	6	9	2	5	1	7	3
2	7	3	6	8	9	5	1	4
5	1	8	2	4	7	6	3	9
9	6	4	1	5	3	2	8	7
7	5	9	4	3	2	8	6	1
8	4	1	5	7	6	3	9	2
6	3	2	8	9	1	7	4	5

181

2	8	6	3	5	7	9	1	4
3	7	5	1	9	4	6	8	2
4	1	9	8	6	2	7	3	5
6	2	8	7	3	9	5	4	1
5	3	7	2	4	1	8	6	9
1	9	4	6	8	5	2	7	3
9	5	3	4	7	6	1	2	8
7	4	1	9	2	8	3	5	6
8	6	2	5	1	3	4	9	7

182

3	5	9	4	7	8	2	6	1
1	4	7	6	2	5	8	3	9
6	8	2	9	3	1	5	4	7
8	2	6	3	9	7	1	5	4
9	3	5	2	1	4	6	7	8
7	1	4	8	5	6	9	2	3
2	9	8	5	4	3	7	1	6
4	6	1	7	8	2	3	9	5
5	7	3	1	6	9	4	8	2

183

3	4	7	2	5	8	9	1	6
8	1	6	9	3	7	2	4	5
9	5	2	6	4	1	8	3	7
7	6	4	1	8	3	5	9	2
5	8	1	7	9	2	3	6	4
2	3	9	4	6	5	7	8	1
4	9	3	5	2	6	1	7	8
1	2	8	3	7	4	6	5	9
6	7	5	8	1	9	4	2	3

184

3	2	9	5	7	6	8	1	4
5	1	7	2	4	8	6	3	9
8	4	6	3	1	9	7	5	2
1	3	4	8	5	2	9	7	6
6	8	2	1	9	7	3	4	5
9	7	5	6	3	4	2	8	1
2	6	1	7	8	5	4	9	3
4	5	8	9	2	3	1	6	7
7	9	3	4	6	1	5	2	8

185

7	1	5	3	9	8	6	2	4
3	4	6	5	7	2	9	8	1
9	8	2	4	6	1	3	5	7
6	9	1	2	4	3	5	7	8
5	2	4	9	8	7	1	3	6
8	7	3	6	1	5	4	9	2
1	5	8	7	3	6	2	4	9
4	3	7	1	2	9	8	6	5
2	6	9	8	5	4	7	1	3

186

5	8	3	6	9	4	2	1	7
6	7	4	2	5	1	3	9	8
2	9	1	8	3	7	6	4	5
4	1	9	5	6	8	7	3	2
7	2	5	3	4	9	8	6	1
3	6	8	1	7	2	4	5	9
9	4	6	7	8	5	1	2	3
8	3	2	9	1	6	5	7	4
1	5	7	4	2	3	9	8	6

187

8	5	3	9	4	2	1	6	7
1	4	9	8	7	6	3	2	5
7	2	6	3	5	1	4	8	9
2	8	4	6	1	9	7	5	3
5	9	1	2	3	7	6	4	8
6	3	7	4	8	5	2	9	1
9	6	8	1	2	3	5	7	4
4	1	5	7	6	8	9	3	2
3	7	2	5	9	4	8	1	6

188

9	6	3	5	7	2	4	8	1
5	2	1	6	4	8	7	9	3
8	7	4	3	1	9	5	6	2
4	9	2	8	3	7	1	5	6
3	1	6	2	5	4	8	7	9
7	5	8	9	6	1	3	2	4
2	8	7	1	9	3	6	4	5
1	4	5	7	2	6	9	3	8
6	3	9	4	8	5	2	1	7

189

3	4	2	1	9	7	6	5	8
7	9	8	3	6	5	2	1	4
6	1	5	4	2	8	9	3	7
1	5	7	8	4	2	3	6	9
4	8	9	6	3	1	5	7	2
2	6	3	7	5	9	8	4	1
5	2	4	9	7	6	1	8	3
8	3	6	2	1	4	7	9	5
9	7	1	5	8	3	4	2	6

190

7	1	8	4	3	6	9	5	2
9	4	5	2	7	8	3	1	6
2	3	6	1	5	9	7	4	8
8	7	3	6	9	1	5	2	4
4	6	1	3	2	5	8	9	7
5	2	9	7	8	4	6	3	1
1	5	7	8	4	3	2	6	9
6	9	2	5	1	7	4	8	3
3	8	4	9	6	2	1	7	5

191

6	7	8	5	2	9	4	1	3
2	4	9	8	1	3	5	6	7
3	1	5	6	4	7	2	9	8
4	9	6	7	5	1	8	3	2
7	3	1	4	8	2	9	5	6
8	5	2	3	9	6	1	7	4
5	6	4	9	3	8	7	2	1
1	8	7	2	6	5	3	4	9
9	2	3	1	7	4	6	8	5

192

3	9	5	1	7	6	8	2	4
6	8	1	2	5	4	7	9	3
2	4	7	9	8	3	6	1	5
4	2	6	8	3	1	9	5	7
8	5	3	7	6	9	1	4	2
7	1	9	5	4	2	3	6	8
9	3	2	4	1	8	5	7	6
5	6	4	3	9	7	2	8	1
1	7	8	6	2	5	4	3	9

193

3	8	6	2	5	4	7	9	1
4	9	1	7	6	8	3	5	2
2	7	5	9	3	1	4	6	8
8	2	3	6	1	9	5	4	7
9	1	7	5	4	2	6	8	3
6	5	4	8	7	3	1	2	9
5	6	2	1	9	7	8	3	4
1	3	9	4	8	6	2	7	5
7	4	8	3	2	5	9	1	6

194

7	2	3	5	1	6	9	4	8
5	6	8	2	4	9	1	3	7
9	1	4	7	8	3	6	2	5
6	7	2	8	9	5	4	1	3
1	3	5	6	7	4	2	8	9
4	8	9	3	2	1	7	5	6
3	5	1	9	6	2	8	7	4
2	9	7	4	5	8	3	6	1
8	4	6	1	3	7	5	9	2

195

6	7	2	3	9	4	1	8	5
8	4	1	6	5	7	2	9	3
5	9	3	1	2	8	4	6	7
1	5	6	8	7	3	9	2	4
2	8	7	4	1	9	5	3	6
4	3	9	5	6	2	8	7	1
3	1	8	9	4	6	7	5	2
7	6	5	2	8	1	3	4	9
9	2	4	7	3	5	6	1	8

196

1	3	5	6	2	4	9	7	8
7	2	9	3	1	8	5	4	6
8	6	4	9	5	7	2	3	1
6	9	2	8	4	5	7	1	3
3	5	1	7	6	9	4	8	2
4	8	7	1	3	2	6	9	5
5	4	3	2	7	1	8	6	9
2	1	8	4	9	6	3	5	7
9	7	6	5	8	3	1	2	4

197

7	6	1	9	5	8	3	2	4
3	9	8	2	4	7	5	1	6
2	5	4	3	1	6	8	7	9
1	2	6	8	3	9	4	5	7
8	7	3	4	6	5	2	9	1
5	4	9	1	7	2	6	8	3
6	1	5	7	2	3	9	4	8
9	3	7	5	8	4	1	6	2
4	8	2	6	9	1	7	3	5

198

2	8	6	5	1	7	9	4	3
1	3	5	8	9	4	2	6	7
9	7	4	3	2	6	5	8	1
5	4	3	2	7	9	6	1	8
8	9	7	6	3	1	4	2	5
6	1	2	4	5	8	3	7	9
3	6	1	9	8	2	7	5	4
7	2	9	1	4	5	8	3	6
4	5	8	7	6	3	1	9	2

199

7	5	9	4	6	3	2	8	1
1	8	3	5	2	7	9	4	6
4	2	6	8	9	1	5	7	3
6	7	2	3	1	4	8	9	5
8	3	5	2	7	9	6	1	4
9	4	1	6	8	5	7	3	2
5	6	7	1	3	8	4	2	9
2	1	8	9	4	6	3	5	7
3	9	4	7	5	2	1	6	8

200

2	1	5	8	7	4	6	3	9
7	4	9	1	3	6	8	2	5
8	3	6	2	9	5	4	7	1
6	9	2	4	8	7	1	5	3
3	8	4	9	5	1	2	6	7
5	7	1	3	6	2	9	4	8
1	2	7	5	4	8	3	9	6
4	5	3	6	1	9	7	8	2
9	6	8	7	2	3	5	1	4

201

8	7	2	6	1	5	3	4	9
4	3	6	9	8	7	5	2	1
1	9	5	2	4	3	7	8	6
2	8	3	5	6	9	1	7	4
9	6	7	1	3	4	2	5	8
5	1	4	8	7	2	6	9	3
3	4	1	7	2	8	9	6	5
6	2	9	4	5	1	8	3	7
7	5	8	3	9	6	4	1	2

202

8	5	6	3	7	4	2	9	1
4	1	3	6	2	9	7	8	5
2	7	9	5	1	8	6	3	4
9	4	8	2	3	1	5	7	6
6	3	7	9	4	5	1	2	8
1	2	5	8	6	7	9	4	3
3	6	1	7	8	2	4	5	9
5	8	2	4	9	6	3	1	7
7	9	4	1	5	3	8	6	2

203

2	5	6	1	9	4	8	3	7
8	3	9	6	5	7	4	2	1
1	7	4	8	2	3	9	5	6
5	2	3	7	8	1	6	4	9
6	8	1	2	4	9	5	7	3
9	4	7	3	6	5	1	8	2
4	6	5	9	7	2	3	1	8
7	1	8	4	3	6	2	9	5
3	9	2	5	1	8	7	6	4

204

9	8	3	6	7	5	1	4	2
5	2	7	4	8	1	6	3	9
4	1	6	9	2	3	5	8	7
8	3	9	2	4	6	7	5	1
1	6	2	3	5	7	4	9	8
7	4	5	1	9	8	3	2	6
6	7	4	8	3	2	9	1	5
3	5	8	7	1	9	2	6	4
2	9	1	5	6	4	8	7	3

205

9	2	4	1	7	8	6	3	5
6	3	1	5	9	2	4	7	8
8	5	7	4	6	3	1	2	9
5	1	2	8	4	7	3	9	6
7	6	8	9	3	5	2	1	4
4	9	3	6	2	1	8	5	7
2	4	9	3	5	6	7	8	1
1	7	5	2	8	4	9	6	3
3	8	6	7	1	9	5	4	2

206

4	1	3	5	2	8	6	9	7
2	6	8	1	7	9	3	4	5
7	5	9	6	4	3	2	8	1
9	4	5	2	3	6	1	7	8
1	7	6	9	8	4	5	3	2
8	3	2	7	1	5	4	6	9
3	8	1	4	5	7	9	2	6
6	2	7	3	9	1	8	5	4
5	9	4	8	6	2	7	1	3

207

3	2	5	4	6	9	8	7	1
8	1	7	3	2	5	4	9	6
6	9	4	8	1	7	3	5	2
2	6	1	7	4	3	5	8	9
4	3	9	6	5	8	1	2	7
7	5	8	1	9	2	6	3	4
9	4	3	5	7	1	2	6	8
1	8	2	9	3	6	7	4	5
5	7	6	2	8	4	9	1	3

208

7	5	8	6	3	9	1	4	2
1	9	3	5	4	2	6	8	7
4	6	2	8	1	7	5	9	3
5	3	1	7	6	4	9	2	8
6	2	7	3	9	8	4	5	1
8	4	9	2	5	1	7	3	6
3	8	5	9	7	6	2	1	4
2	1	6	4	8	5	3	7	9
9	7	4	1	2	3	8	6	5

209

5	8	6	1	2	9	3	4	7
3	9	2	7	8	4	5	1	6
4	1	7	6	5	3	8	9	2
1	4	9	3	6	7	2	5	8
2	5	3	9	1	8	6	7	4
6	7	8	2	4	5	1	3	9
8	3	1	4	9	2	7	6	5
9	6	5	8	7	1	4	2	3
7	2	4	5	3	6	9	8	1

210

5	8	3	7	6	9	1	2	4
6	9	1	8	4	2	3	5	7
2	4	7	3	1	5	8	6	9
1	2	8	4	3	7	5	9	6
9	5	4	2	8	6	7	1	3
3	7	6	5	9	1	4	8	2
8	6	9	1	7	4	2	3	5
7	3	5	9	2	8	6	4	1
4	1	2	6	5	3	9	7	8

211

9	1	8	3	5	7	2	6	4
5	7	3	4	6	2	9	1	8
4	2	6	9	8	1	5	7	3
8	5	4	7	1	3	6	2	9
2	3	9	5	4	6	1	8	7
1	6	7	2	9	8	4	3	5
6	9	2	8	7	4	3	5	1
3	8	5	1	2	9	7	4	6
7	4	1	6	3	5	8	9	2

212

8	4	2	9	6	3	5	1	7
1	6	9	8	7	5	2	3	4
3	7	5	2	1	4	6	9	8
5	2	4	1	9	6	7	8	3
6	3	1	5	8	7	9	4	2
9	8	7	4	3	2	1	5	6
2	1	8	7	4	9	3	6	5
4	5	3	6	2	1	8	7	9
7	9	6	3	5	8	4	2	1

213

3	7	9	1	5	6	8	2	4
2	1	8	9	3	4	5	6	7
5	6	4	2	7	8	1	9	3
7	3	6	8	9	2	4	1	5
4	9	5	7	1	3	2	8	6
1	8	2	6	4	5	7	3	9
9	5	1	3	2	7	6	4	8
8	4	3	5	6	1	9	7	2
6	2	7	4	8	9	3	5	1

214

1	3	9	8	4	7	5	2	6
2	4	6	1	9	5	3	7	8
5	7	8	2	6	3	4	1	9
9	8	1	7	3	6	2	5	4
6	2	3	5	1	4	8	9	7
7	5	4	9	8	2	1	6	3
8	6	7	4	5	1	9	3	2
3	9	5	6	2	8	7	4	1
4	1	2	3	7	9	6	8	5

215

2	4	9	8	6	7	5	3	1
7	3	6	2	5	1	4	8	9
5	8	1	4	9	3	7	6	2
6	7	2	5	8	4	1	9	3
8	9	5	3	1	6	2	7	4
3	1	4	9	7	2	6	5	8
9	6	3	1	4	5	8	2	7
1	5	8	7	2	9	3	4	6
4	2	7	6	3	8	9	1	5

216

5	7	2	3	6	9	4	1	8
6	9	8	2	4	1	7	3	5
4	1	3	8	7	5	2	6	9
8	4	5	7	9	3	1	2	6
1	2	7	4	5	6	9	8	3
3	6	9	1	2	8	5	4	7
9	5	4	6	3	2	8	7	1
2	3	1	9	8	7	6	5	4
7	8	6	5	1	4	3	9	2

217

3	1	4	7	6	8	9	5	2
9	5	6	4	2	3	7	8	1
8	7	2	1	5	9	4	6	3
1	6	9	3	4	7	5	2	8
5	8	3	6	9	2	1	7	4
2	4	7	8	1	5	3	9	6
7	3	1	9	8	6	2	4	5
6	9	5	2	3	4	8	1	7
4	2	8	5	7	1	6	3	9

218

7	4	5	6	1	8	2	3	9
9	1	2	5	3	4	7	6	8
8	3	6	2	9	7	5	4	1
3	7	8	1	6	5	4	9	2
4	5	1	7	2	9	6	8	3
6	2	9	8	4	3	1	5	7
1	8	7	3	5	6	9	2	4
2	6	4	9	8	1	3	7	5
5	9	3	4	7	2	8	1	6

219

8	3	7	4	5	9	6	2	1
1	9	2	7	3	6	5	4	8
6	4	5	2	1	8	7	3	9
2	5	1	8	9	3	4	6	7
7	8	4	5	6	2	1	9	3
9	6	3	1	4	7	2	8	5
5	2	9	3	7	4	8	1	6
3	7	8	6	2	1	9	5	4
4	1	6	9	8	5	3	7	2

220

3	9	5	2	8	1	6	4	7
8	1	4	5	7	6	3	2	9
7	6	2	3	4	9	1	5	8
2	3	8	6	1	5	9	7	4
4	7	6	8	9	2	5	3	1
9	5	1	7	3	4	8	6	2
5	2	7	1	6	8	4	9	3
6	8	9	4	2	3	7	1	5
1	4	3	9	5	7	2	8	6

221

8	2	5	1	3	6	4	9	7
6	1	4	7	9	5	3	2	8
3	7	9	4	8	2	6	5	1
2	9	1	3	5	8	7	6	4
5	6	7	2	4	1	9	8	3
4	8	3	9	6	7	2	1	5
9	3	8	6	1	4	5	7	2
7	5	6	8	2	3	1	4	9
1	4	2	5	7	9	8	3	6

222

2	3	4	5	8	1	6	9	7
8	7	9	2	6	4	1	3	5
5	6	1	7	3	9	2	8	4
1	2	5	6	4	8	3	7	9
3	9	8	1	7	5	4	2	6
7	4	6	9	2	3	5	1	8
9	8	3	4	1	6	7	5	2
4	5	2	3	9	7	8	6	1
6	1	7	8	5	2	9	4	3

223

4	6	8	3	2	1	5	7	9
2	7	3	9	5	4	8	1	6
9	5	1	7	6	8	4	2	3
8	2	5	4	3	9	1	6	7
3	9	7	8	1	6	2	5	4
1	4	6	5	7	2	9	3	8
7	3	9	1	8	5	6	4	2
5	8	2	6	4	7	3	9	1
6	1	4	2	9	3	7	8	5

224

7	6	9	3	5	8	1	4	2
8	3	1	7	2	4	9	5	6
5	2	4	9	6	1	3	8	7
6	1	5	8	3	7	4	2	9
2	8	7	6	4	9	5	3	1
9	4	3	2	1	5	6	7	8
4	5	8	1	9	2	7	6	3
3	9	2	4	7	6	8	1	5
1	7	6	5	8	3	2	9	4

225

7	4	9	5	8	3	1	6	2
1	2	3	7	6	9	5	8	4
8	6	5	4	2	1	3	7	9
4	5	6	8	7	2	9	1	3
2	1	7	3	9	4	6	5	8
3	9	8	6	1	5	4	2	7
5	3	2	1	4	7	8	9	6
6	7	4	9	5	8	2	3	1
9	8	1	2	3	6	7	4	5

226

4	5	2	3	1	9	8	6	7
3	9	8	6	4	7	2	1	5
6	7	1	8	5	2	4	3	9
2	3	9	5	7	1	6	4	8
5	8	6	9	3	4	1	7	2
7	1	4	2	8	6	9	5	3
8	6	7	4	9	3	5	2	1
9	4	3	1	2	5	7	8	6
1	2	5	7	6	8	3	9	4

227

7	8	6	2	9	3	1	5	4
4	3	9	8	1	5	2	6	7
1	5	2	6	4	7	9	8	3
3	4	8	9	6	2	5	7	1
9	6	1	5	7	4	3	2	8
5	2	7	1	3	8	6	4	9
2	1	5	4	8	9	7	3	6
8	9	3	7	5	6	4	1	2
6	7	4	3	2	1	8	9	5

228

8	4	1	3	9	5	7	6	2
9	2	7	4	1	6	3	5	8
6	3	5	7	2	8	1	9	4
5	1	9	2	4	3	8	7	6
4	6	8	5	7	9	2	3	1
3	7	2	6	8	1	5	4	9
1	5	3	9	6	2	4	8	7
7	8	6	1	5	4	9	2	3
2	9	4	8	3	7	6	1	5

229

3	8	1	4	7	2	9	5	6
9	6	2	3	8	5	1	4	7
4	5	7	1	6	9	2	3	8
2	9	3	6	4	8	5	7	1
8	1	6	5	2	7	4	9	3
7	4	5	9	3	1	8	6	2
6	7	9	2	1	4	3	8	5
1	3	4	8	5	6	7	2	9
5	2	8	7	9	3	6	1	4

230

6	9	1	5	4	7	2	8	3
4	3	7	9	8	2	5	1	6
8	5	2	6	3	1	9	7	4
1	7	4	2	5	6	8	3	9
2	6	5	8	9	3	1	4	7
9	8	3	7	1	4	6	2	5
5	2	9	4	7	8	3	6	1
7	1	8	3	6	9	4	5	2
3	4	6	1	2	5	7	9	8

231

6	8	4	3	9	1	7	2	5
7	5	1	8	4	2	9	6	3
9	2	3	6	7	5	8	4	1
1	6	7	9	5	3	2	8	4
5	4	8	1	2	7	3	9	6
3	9	2	4	8	6	5	1	7
4	7	6	2	3	8	1	5	9
2	1	5	7	6	9	4	3	8
8	3	9	5	1	4	6	7	2

232

3	9	5	4	1	7	6	8	2
8	2	7	6	5	3	1	9	4
1	6	4	9	2	8	3	5	7
2	5	3	7	4	6	8	1	9
7	1	8	5	3	9	2	4	6
6	4	9	2	8	1	5	7	3
9	7	2	8	6	5	4	3	1
4	8	1	3	9	2	7	6	5
5	3	6	1	7	4	9	2	8

233

4	1	2	3	5	8	7	9	6
7	9	8	4	1	6	2	5	3
5	6	3	2	7	9	4	1	8
9	5	7	1	8	2	6	3	4
8	4	1	9	6	3	5	7	2
3	2	6	7	4	5	1	8	9
6	8	4	5	9	7	3	2	1
1	3	5	8	2	4	9	6	7
2	7	9	6	3	1	8	4	5

234

9	5	1	6	4	3	2	7	8
4	6	2	5	7	8	3	9	1
3	7	8	1	2	9	6	4	5
6	2	9	4	1	5	7	8	3
8	4	5	3	9	7	1	6	2
1	3	7	2	8	6	4	5	9
5	9	4	7	3	2	8	1	6
2	1	6	8	5	4	9	3	7
7	8	3	9	6	1	5	2	4

235

8	4	1	7	3	5	6	9	2
9	2	3	1	4	6	8	7	5
5	7	6	2	9	8	1	3	4
1	9	5	6	7	4	2	8	3
6	8	7	3	2	9	5	4	1
2	3	4	8	5	1	9	6	7
7	6	9	5	1	3	4	2	8
3	1	8	4	6	2	7	5	9
4	5	2	9	8	7	3	1	6

236

8	7	1	9	3	6	2	4	5
3	6	2	8	4	5	7	1	9
9	5	4	2	7	1	8	6	3
7	9	3	4	1	2	5	8	6
1	8	6	5	9	7	3	2	4
2	4	5	3	6	8	9	7	1
6	3	7	1	8	9	4	5	2
4	2	8	6	5	3	1	9	7
5	1	9	7	2	4	6	3	8

237

7	6	2	1	3	4	9	8	5
9	3	5	8	7	2	4	6	1
4	8	1	9	6	5	3	7	2
1	5	4	7	8	6	2	9	3
2	9	8	3	4	1	7	5	6
3	7	6	5	2	9	1	4	8
6	1	9	4	5	3	8	2	7
8	2	3	6	9	7	5	1	4
5	4	7	2	1	8	6	3	9

238

7	2	4	9	8	1	6	5	3
8	6	1	5	7	3	4	9	2
5	3	9	2	4	6	7	8	1
9	4	3	8	5	7	1	2	6
1	5	2	3	6	4	9	7	8
6	7	8	1	9	2	3	4	5
4	9	5	6	3	8	2	1	7
3	1	7	4	2	5	8	6	9
2	8	6	7	1	9	5	3	4

239

9	5	6	8	2	7	3	1	4
7	8	2	1	4	3	9	5	6
4	3	1	9	5	6	2	8	7
3	6	8	5	1	2	7	4	9
1	7	4	3	9	8	5	6	2
5	2	9	6	7	4	8	3	1
8	9	7	4	3	1	6	2	5
2	1	3	7	6	5	4	9	8
6	4	5	2	8	9	1	7	3

240

1	4	7	6	9	5	2	8	3
3	6	2	8	1	4	7	5	9
5	8	9	2	7	3	1	6	4
2	7	4	5	6	8	3	9	1
6	3	8	1	2	9	4	7	5
9	5	1	3	4	7	8	2	6
4	1	5	7	8	6	9	3	2
8	2	3	9	5	1	6	4	7
7	9	6	4	3	2	5	1	8

241

6	9	8	2	1	5	3	7	4
1	7	5	3	6	4	2	8	9
2	3	4	9	7	8	6	5	1
4	5	2	7	9	6	1	3	8
8	1	9	5	3	2	4	6	7
3	6	7	4	8	1	9	2	5
7	4	1	6	5	3	8	9	2
5	8	3	1	2	9	7	4	6
9	2	6	8	4	7	5	1	3

242

3	7	9	4	1	6	8	2	5
8	5	4	2	7	3	9	6	1
1	6	2	8	5	9	7	3	4
2	9	6	7	8	1	5	4	3
4	3	7	6	9	5	2	1	8
5	8	1	3	2	4	6	9	7
6	2	8	1	4	7	3	5	9
9	4	3	5	6	8	1	7	2
7	1	5	9	3	2	4	8	6

243

1	4	8	2	9	3	6	5	7
3	9	6	7	4	5	1	2	8
5	2	7	8	1	6	3	9	4
4	3	1	9	5	7	2	8	6
8	6	2	1	3	4	5	7	9
7	5	9	6	8	2	4	1	3
6	7	5	4	2	9	8	3	1
9	8	3	5	6	1	7	4	2
2	1	4	3	7	8	9	6	5

244

4	5	6	2	8	7	9	1	3
3	1	8	6	9	4	5	7	2
9	7	2	3	1	5	6	8	4
1	6	3	9	5	8	4	2	7
2	8	9	7	4	3	1	6	5
5	4	7	1	6	2	8	3	9
7	9	1	4	3	6	2	5	8
6	2	5	8	7	9	3	4	1
8	3	4	5	2	1	7	9	6

245

6	9	4	3	1	7	2	8	5
3	1	8	2	5	9	6	4	7
5	2	7	6	8	4	9	3	1
9	5	3	7	6	2	4	1	8
1	7	2	5	4	8	3	6	9
8	4	6	9	3	1	5	7	2
4	3	9	1	7	5	8	2	6
7	6	5	8	2	3	1	9	4
2	8	1	4	9	6	7	5	3

246

7	6	2	3	8	9	1	4	5
5	8	4	6	1	7	3	9	2
9	1	3	2	4	5	6	8	7
4	5	1	9	3	2	7	6	8
3	9	8	1	7	6	2	5	4
2	7	6	4	5	8	9	3	1
6	3	5	7	2	4	8	1	9
1	4	7	8	9	3	5	2	6
8	2	9	5	6	1	4	7	3

247

4	8	2	9	6	1	7	5	3
3	5	6	8	7	4	1	2	9
7	9	1	5	2	3	4	8	6
2	3	4	6	8	5	9	7	1
6	7	5	2	1	9	8	3	4
9	1	8	3	4	7	2	6	5
5	2	9	4	3	8	6	1	7
8	4	7	1	5	6	3	9	2
1	6	3	7	9	2	5	4	8

248

1	2	8	3	7	4	9	6	5
7	6	5	9	8	2	4	1	3
9	3	4	1	5	6	8	2	7
8	7	3	6	2	9	1	5	4
2	9	6	5	4	1	7	3	8
5	4	1	7	3	8	2	9	6
6	5	2	4	1	7	3	8	9
3	1	7	8	9	5	6	4	2
4	8	9	2	6	3	5	7	1

249

9	1	6	5	3	4	8	2	7
2	3	8	7	6	1	5	9	4
4	7	5	9	2	8	3	6	1
6	8	4	2	5	7	1	3	9
7	2	3	6	1	9	4	5	8
5	9	1	8	4	3	2	7	6
3	4	2	1	9	6	7	8	5
1	6	7	3	8	5	9	4	2
8	5	9	4	7	2	6	1	3

250

8	3	4	6	1	2	7	9	5
7	5	9	8	3	4	1	2	6
2	6	1	5	7	9	8	4	3
6	7	3	2	9	5	4	1	8
4	8	5	7	6	1	2	3	9
1	9	2	4	8	3	6	5	7
9	1	8	3	2	6	5	7	4
5	2	7	9	4	8	3	6	1
3	4	6	1	5	7	9	8	2

251

7	9	1	2	8	6	5	3	4
6	3	8	1	4	5	9	7	2
2	5	4	3	7	9	1	8	6
8	6	5	7	9	4	3	2	1
1	7	3	6	2	8	4	9	5
9	4	2	5	3	1	8	6	7
5	2	9	8	1	7	6	4	3
3	8	6	4	5	2	7	1	9
4	1	7	9	6	3	2	5	8

252

1	8	2	7	5	4	3	9	6
9	4	6	3	1	2	8	7	5
7	3	5	6	8	9	1	2	4
5	7	8	9	3	1	6	4	2
2	1	3	4	7	6	9	5	8
4	6	9	8	2	5	7	3	1
3	5	1	2	9	8	4	6	7
8	9	4	5	6	7	2	1	3
6	2	7	1	4	3	5	8	9

2
5
3

5	7	3	1	6	4	8	9	2
2	8	4	7	9	5	1	3	6
6	1	9	3	2	8	5	4	7
7	5	2	6	8	3	9	1	4
9	4	1	5	7	2	6	8	3
8	3	6	4	1	9	7	2	5
4	9	8	2	5	6	3	7	1
3	6	7	9	4	1	2	5	8
1	2	5	8	3	7	4	6	9

2
5
4

4	9	7	2	3	8	5	1	6
3	5	2	7	6	1	4	8	9
6	1	8	9	5	4	7	2	3
9	3	5	6	8	2	1	4	7
2	6	4	5	1	7	9	3	8
8	7	1	4	9	3	2	6	5
7	8	6	1	2	5	3	9	4
1	4	3	8	7	9	6	5	2
5	2	9	3	4	6	8	7	1

2
5
5

4	6	9	8	3	5	2	1	7
1	5	8	2	4	7	9	3	6
2	7	3	9	1	6	8	4	5
8	3	2	5	6	1	7	9	4
5	4	6	3	7	9	1	2	8
9	1	7	4	8	2	6	5	3
7	8	4	1	9	3	5	6	2
6	9	5	7	2	4	3	8	1
3	2	1	6	5	8	4	7	9

2
5
6

2	3	8	9	6	5	7	1	4
1	4	6	3	7	2	5	9	8
9	5	7	4	1	8	6	3	2
3	1	4	2	8	7	9	6	5
8	7	5	1	9	6	2	4	3
6	9	2	5	4	3	1	8	7
5	2	9	8	3	1	4	7	6
7	8	1	6	2	4	3	5	9
4	6	3	7	5	9	8	2	1

2
5
7

8	6	7	9	2	1	3	4	5
3	4	9	6	5	8	1	2	7
1	5	2	7	3	4	6	8	9
4	2	6	3	7	5	8	9	1
5	3	1	8	6	9	4	7	2
9	7	8	1	4	2	5	6	3
6	9	5	4	1	7	2	3	8
2	8	3	5	9	6	7	1	4
7	1	4	2	8	3	9	5	6

2
5
8

1	3	4	8	9	5	6	7	2
9	5	6	3	2	7	4	8	1
7	2	8	1	4	6	5	9	3
2	8	3	5	1	4	7	6	9
6	4	9	2	7	3	8	1	5
5	1	7	9	6	8	2	3	4
3	6	2	7	5	9	1	4	8
8	7	5	4	3	1	9	2	6
4	9	1	6	8	2	3	5	7

259

6	4	5	2	8	9	3	1	7
8	9	1	3	4	7	5	6	2
2	3	7	1	5	6	4	8	9
4	1	3	6	9	8	2	7	5
9	5	6	7	1	2	8	4	3
7	8	2	4	3	5	1	9	6
5	7	4	9	2	1	6	3	8
3	2	9	8	6	4	7	5	1
1	6	8	5	7	3	9	2	4

260

2	8	3	7	1	6	5	4	9
1	7	6	9	5	4	2	8	3
5	9	4	8	2	3	7	1	6
4	2	8	6	7	9	3	5	1
7	6	1	3	4	5	9	2	8
3	5	9	2	8	1	4	6	7
6	1	5	4	9	7	8	3	2
9	4	2	1	3	8	6	7	5
8	3	7	5	6	2	1	9	4

261

4	1	7	2	9	6	5	3	8
2	9	5	4	3	8	6	7	1
3	8	6	7	5	1	4	2	9
6	7	1	5	8	9	3	4	2
9	2	4	1	7	3	8	6	5
8	5	3	6	4	2	9	1	7
5	3	2	8	6	7	1	9	4
1	6	8	9	2	4	7	5	3
7	4	9	3	1	5	2	8	6

262

7	9	8	4	2	1	3	6	5
4	2	6	5	3	7	1	8	9
1	3	5	6	8	9	4	7	2
2	1	3	7	6	8	9	5	4
6	4	7	3	9	5	2	1	8
8	5	9	2	1	4	6	3	7
9	7	1	8	4	6	5	2	3
3	8	4	1	5	2	7	9	6
5	6	2	9	7	3	8	4	1

263

2	3	1	7	9	8	6	5	4
5	9	8	1	4	6	2	7	3
4	6	7	2	3	5	9	8	1
9	4	6	5	1	7	3	2	8
8	7	3	9	2	4	1	6	5
1	5	2	6	8	3	4	9	7
7	1	9	4	5	2	8	3	6
3	2	5	8	6	1	7	4	9
6	8	4	3	7	9	5	1	2

264

1	5	7	4	3	6	2	9	8
6	4	3	2	9	8	5	7	1
8	2	9	5	1	7	6	3	4
7	6	1	9	8	5	3	4	2
4	8	2	7	6	3	1	5	9
3	9	5	1	2	4	7	8	6
2	1	8	3	7	9	4	6	5
9	3	4	6	5	1	8	2	7
5	7	6	8	4	2	9	1	3

265

9	6	5	8	7	3	1	4	2
1	8	4	6	5	2	3	9	7
3	2	7	9	1	4	6	5	8
8	1	6	7	4	5	2	3	9
2	7	9	1	3	8	5	6	4
5	4	3	2	6	9	8	7	1
4	3	1	5	2	7	9	8	6
7	9	2	3	8	6	4	1	5
6	5	8	4	9	1	7	2	3

266

4	9	8	3	5	7	2	6	1
6	3	2	1	4	8	7	9	5
1	7	5	2	9	6	8	3	4
2	4	6	5	7	3	9	1	8
7	5	3	8	1	9	4	2	6
8	1	9	6	2	4	5	7	3
5	8	7	9	6	1	3	4	2
9	2	1	4	3	5	6	8	7
3	6	4	7	8	2	1	5	9

267

7	5	1	9	4	6	3	8	2
2	4	8	1	3	7	9	5	6
9	3	6	8	5	2	4	7	1
3	6	2	7	9	1	5	4	8
4	1	5	2	8	3	7	6	9
8	9	7	4	6	5	2	1	3
6	2	3	5	1	4	8	9	7
5	7	9	6	2	8	1	3	4
1	8	4	3	7	9	6	2	5

268

2	3	6	8	7	5	1	9	4
1	4	7	6	3	9	8	2	5
8	5	9	4	1	2	7	6	3
4	2	5	3	8	7	9	1	6
7	1	3	5	9	6	4	8	2
6	9	8	1	2	4	3	5	7
3	8	2	7	5	1	6	4	9
9	7	4	2	6	8	5	3	1
5	6	1	9	4	3	2	7	8

269

8	5	7	9	6	4	2	3	1
3	9	6	5	2	1	4	7	8
4	1	2	3	8	7	6	5	9
1	8	4	6	7	3	9	2	5
7	2	3	4	9	5	8	1	6
9	6	5	2	1	8	7	4	3
5	4	9	7	3	6	1	8	2
6	3	8	1	4	2	5	9	7
2	7	1	8	5	9	3	6	4

270

2	7	5	6	4	9	8	3	1
6	3	1	5	7	8	4	9	2
4	8	9	1	2	3	5	6	7
3	2	7	8	6	1	9	4	5
5	1	6	7	9	4	2	8	3
8	9	4	2	3	5	1	7	6
9	5	3	4	1	6	7	2	8
1	6	2	9	8	7	3	5	4
7	4	8	3	5	2	6	1	9

346

271

5	9	8	3	6	2	1	4	7
6	2	3	4	1	7	5	8	9
4	7	1	9	5	8	2	3	6
3	1	5	6	2	9	4	7	8
9	4	7	5	8	3	6	1	2
2	8	6	7	4	1	9	5	3
8	3	4	1	9	6	7	2	5
1	6	2	8	7	5	3	9	4
7	5	9	2	3	4	8	6	1

272

6	8	3	5	9	4	1	7	2
5	4	1	6	7	2	9	3	8
9	2	7	1	8	3	4	5	6
3	9	2	7	4	6	8	1	5
1	7	6	2	5	8	3	9	4
4	5	8	9	3	1	6	2	7
8	6	5	3	1	7	2	4	9
7	3	4	8	2	9	5	6	1
2	1	9	4	6	5	7	8	3

273

5	6	2	4	8	7	9	1	3
9	4	1	3	6	5	8	7	2
8	3	7	1	9	2	4	6	5
2	1	9	5	4	3	7	8	6
3	7	5	8	1	6	2	4	9
4	8	6	2	7	9	5	3	1
7	9	3	6	2	8	1	5	4
1	5	8	9	3	4	6	2	7
6	2	4	7	5	1	3	9	8

274

4	8	3	7	9	6	2	5	1
1	7	9	8	5	2	4	3	6
6	2	5	1	3	4	8	7	9
9	1	7	4	6	3	5	8	2
8	5	4	9	2	7	6	1	3
3	6	2	5	1	8	7	9	4
2	3	8	6	7	9	1	4	5
5	4	6	3	8	1	9	2	7
7	9	1	2	4	5	3	6	8

275

8	1	2	4	6	7	5	9	3
7	4	9	5	8	3	2	1	6
3	5	6	2	1	9	7	4	8
1	9	7	3	2	6	8	5	4
5	8	3	7	4	1	6	2	9
6	2	4	9	5	8	1	3	7
9	7	5	6	3	2	4	8	1
4	6	8	1	9	5	3	7	2
2	3	1	8	7	4	9	6	5

276

2	4	7	1	3	8	5	9	6
1	6	3	5	4	9	7	2	8
8	5	9	7	2	6	1	4	3
3	7	4	8	9	1	6	5	2
5	9	1	6	7	2	3	8	4
6	8	2	4	5	3	9	7	1
4	3	8	9	6	7	2	1	5
7	1	6	2	8	5	4	3	9
9	2	5	3	1	4	8	6	7

277

1	9	8	3	7	5	2	4	6
4	6	2	8	1	9	5	7	3
7	5	3	2	4	6	8	1	9
2	7	5	1	8	3	9	6	4
8	1	9	6	5	4	3	2	7
3	4	6	9	2	7	1	5	8
5	8	7	4	3	2	6	9	1
6	3	4	5	9	1	7	8	2
9	2	1	7	6	8	4	3	5

278

4	6	9	3	5	1	7	2	8
7	2	3	9	8	4	5	1	6
5	1	8	7	2	6	9	4	3
8	5	4	1	9	3	6	7	2
9	7	2	5	6	8	4	3	1
6	3	1	4	7	2	8	9	5
1	8	6	2	4	7	3	5	9
3	9	7	8	1	5	2	6	4
2	4	5	6	3	9	1	8	7

279

3	9	8	2	6	7	1	5	4
4	2	6	8	5	1	3	7	9
1	5	7	3	4	9	6	8	2
6	1	2	7	9	3	5	4	8
8	3	9	5	1	4	7	2	6
5	7	4	6	8	2	9	3	1
2	8	3	9	7	6	4	1	5
9	4	5	1	3	8	2	6	7
7	6	1	4	2	5	8	9	3

280

4	5	1	2	9	8	6	7	3
9	3	6	4	1	7	8	2	5
8	2	7	5	6	3	9	1	4
6	9	4	8	3	2	1	5	7
1	7	5	9	4	6	2	3	8
3	8	2	1	7	5	4	6	9
7	1	9	6	5	4	3	8	2
2	4	3	7	8	1	5	9	6
5	6	8	3	2	9	7	4	1

281

3	4	9	2	5	7	6	1	8
5	1	8	6	4	3	2	7	9
6	2	7	8	1	9	4	5	3
4	3	1	9	8	5	7	6	2
9	7	6	4	3	2	1	8	5
2	8	5	1	7	6	3	9	4
8	6	4	3	9	1	5	2	7
1	5	3	7	2	8	9	4	6
7	9	2	5	6	4	8	3	1

282

2	1	7	8	9	6	4	3	5
4	3	5	1	2	7	6	8	9
9	6	8	5	4	3	2	7	1
3	2	1	4	7	5	9	6	8
5	4	9	2	6	8	3	1	7
8	7	6	3	1	9	5	2	4
7	8	2	6	5	4	1	9	3
1	9	4	7	3	2	8	5	6
6	5	3	9	8	1	7	4	2

283

6	8	5	3	7	1	2	9	4
3	7	2	4	8	9	6	1	5
4	1	9	5	2	6	8	3	7
2	6	1	9	3	4	7	5	8
8	4	7	1	5	2	9	6	3
9	5	3	8	6	7	4	2	1
5	2	8	7	9	3	1	4	6
7	9	4	6	1	5	3	8	2
1	3	6	2	4	8	5	7	9

284

4	5	2	8	6	7	3	1	9
1	9	6	5	4	3	2	7	8
8	7	3	2	1	9	5	6	4
5	4	1	7	8	2	9	3	6
3	6	9	4	5	1	7	8	2
7	2	8	3	9	6	4	5	1
9	3	4	6	7	8	1	2	5
2	8	5	1	3	4	6	9	7
6	1	7	9	2	5	8	4	3

285

1	6	7	5	3	8	9	2	4
2	8	9	4	6	7	1	3	5
4	5	3	1	2	9	7	6	8
7	4	6	8	9	2	3	5	1
9	2	5	3	7	1	8	4	6
8	3	1	6	4	5	2	7	9
3	7	8	9	5	4	6	1	2
5	1	2	7	8	6	4	9	3
6	9	4	2	1	3	5	8	7

286

1	9	6	3	5	4	8	7	2
8	7	3	6	9	2	5	4	1
5	4	2	7	8	1	9	6	3
6	1	7	4	2	8	3	5	9
3	5	9	1	6	7	2	8	4
2	8	4	5	3	9	6	1	7
9	2	1	8	7	5	4	3	6
4	6	8	9	1	3	7	2	5
7	3	5	2	4	6	1	9	8

287

4	8	3	1	7	2	6	5	9
6	7	1	4	9	5	2	8	3
2	5	9	8	3	6	4	1	7
5	9	4	7	2	1	3	6	8
1	2	6	9	8	3	5	7	4
8	3	7	5	6	4	1	9	2
9	6	5	2	4	7	8	3	1
7	1	2	3	5	8	9	4	6
3	4	8	6	1	9	7	2	5

288

1	3	4	2	9	7	8	5	6
8	7	2	4	6	5	3	9	1
9	6	5	1	3	8	2	7	4
3	2	8	6	4	9	5	1	7
5	9	7	3	8	1	4	6	2
4	1	6	7	5	2	9	3	8
6	8	3	9	7	4	1	2	5
7	4	1	5	2	3	6	8	9
2	5	9	8	1	6	7	4	3

289

7	3	6	5	1	4	8	2	9
1	8	5	7	2	9	6	4	3
2	9	4	3	6	8	7	5	1
3	1	9	2	7	6	5	8	4
8	6	7	4	5	3	9	1	2
4	5	2	9	8	1	3	7	6
9	2	1	8	3	5	4	6	7
6	4	8	1	9	7	2	3	5
5	7	3	6	4	2	1	9	8

290

2	3	9	4	5	7	1	6	8
6	4	5	3	8	1	9	2	7
8	7	1	6	9	2	4	5	3
1	5	4	7	2	6	8	3	9
9	8	2	5	1	3	7	4	6
7	6	3	9	4	8	2	1	5
5	2	8	1	6	9	3	7	4
3	1	6	8	7	4	5	9	2
4	9	7	2	3	5	6	8	1

291

4	6	3	5	8	1	2	7	9
1	9	7	2	6	3	5	4	8
5	2	8	9	7	4	3	1	6
8	4	5	3	2	7	9	6	1
6	3	2	4	1	9	8	5	7
7	1	9	6	5	8	4	2	3
2	7	1	8	3	5	6	9	4
9	8	6	7	4	2	1	3	5
3	5	4	1	9	6	7	8	2

292

7	6	2	5	1	3	4	9	8
8	3	9	2	6	4	7	1	5
4	1	5	9	7	8	2	3	6
9	8	7	6	4	5	1	2	3
5	2	6	3	9	1	8	4	7
3	4	1	7	8	2	5	6	9
2	9	4	8	3	7	6	5	1
6	5	8	1	2	9	3	7	4
1	7	3	4	5	6	9	8	2

293

3	4	8	1	2	6	5	9	7
1	2	7	5	8	9	4	3	6
6	9	5	7	3	4	2	1	8
8	7	9	4	1	5	6	2	3
2	3	4	8	6	7	1	5	9
5	1	6	3	9	2	7	8	4
4	6	3	2	5	8	9	7	1
9	5	1	6	7	3	8	4	2
7	8	2	9	4	1	3	6	5

294

6	1	5	9	3	7	4	8	2
9	7	8	6	2	4	3	1	5
4	3	2	1	5	8	6	9	7
3	9	6	7	1	2	5	4	8
8	5	7	4	9	3	1	2	6
1	2	4	8	6	5	9	7	3
2	8	3	5	4	9	7	6	1
5	6	9	2	7	1	8	3	4
7	4	1	3	8	6	2	5	9

295

4	2	3	5	6	7	1	9	8
1	9	8	2	3	4	6	7	5
6	5	7	1	9	8	4	2	3
8	3	9	4	7	2	5	6	1
7	6	4	3	5	1	2	8	9
5	1	2	9	8	6	3	4	7
3	7	5	6	2	9	8	1	4
2	8	1	7	4	3	9	5	6
9	4	6	8	1	5	7	3	2

296

9	5	4	2	1	8	6	3	7
6	7	2	5	9	3	4	8	1
3	1	8	7	4	6	9	2	5
7	9	1	4	5	2	8	6	3
5	8	3	9	6	1	7	4	2
2	4	6	8	3	7	1	5	9
1	3	7	6	2	4	5	9	8
4	2	9	1	8	5	3	7	6
8	6	5	3	7	9	2	1	4

297

7	2	1	4	6	8	5	3	9
5	9	3	2	7	1	6	4	8
6	4	8	3	9	5	2	7	1
2	7	4	8	1	9	3	5	6
8	6	9	7	5	3	1	2	4
3	1	5	6	2	4	9	8	7
1	8	7	5	3	6	4	9	2
9	3	2	1	4	7	8	6	5
4	5	6	9	8	2	7	1	3

298

8	5	9	2	6	1	4	3	7
4	3	1	5	8	7	2	9	6
2	6	7	3	9	4	1	8	5
3	9	8	7	5	2	6	1	4
7	4	5	6	1	9	3	2	8
1	2	6	4	3	8	7	5	9
5	8	4	1	7	3	9	6	2
9	1	2	8	4	6	5	7	3
6	7	3	9	2	5	8	4	1

299

1	5	9	6	3	8	2	4	7
8	6	7	5	2	4	1	3	9
4	2	3	7	1	9	5	6	8
5	3	6	8	9	7	4	2	1
9	7	1	3	4	2	8	5	6
2	8	4	1	5	6	7	9	3
7	4	8	9	6	5	3	1	2
3	9	2	4	8	1	6	7	5
6	1	5	2	7	3	9	8	4

300

6	4	1	5	9	3	8	2	7
2	9	7	4	8	1	5	3	6
8	3	5	7	6	2	4	1	9
4	2	3	8	7	6	1	9	5
9	5	6	1	3	4	2	7	8
7	1	8	9	2	5	6	4	3
5	6	2	3	1	7	9	8	4
3	8	4	2	5	9	7	6	1
1	7	9	6	4	8	3	5	2

301

3	6	1	7	8	5	2	9	4
5	2	7	6	9	4	1	3	8
4	9	8	2	1	3	7	5	6
1	5	3	4	2	7	6	8	9
8	4	6	1	3	9	5	2	7
2	7	9	8	5	6	4	1	3
6	1	5	9	7	8	3	4	2
9	3	4	5	6	2	8	7	1
7	8	2	3	4	1	9	6	5

302

6	3	2	1	9	8	5	4	7
8	5	9	4	2	7	6	1	3
1	7	4	6	5	3	2	8	9
3	6	7	8	4	9	1	2	5
4	2	5	3	7	1	8	9	6
9	8	1	5	6	2	7	3	4
7	9	8	2	3	6	4	5	1
5	1	3	7	8	4	9	6	2
2	4	6	9	1	5	3	7	8

303

8	6	2	1	9	7	5	3	4
7	1	4	6	5	3	9	2	8
9	3	5	8	2	4	1	6	7
6	7	8	9	4	5	2	1	3
3	4	9	2	1	8	6	7	5
5	2	1	7	3	6	8	4	9
4	9	7	5	6	1	3	8	2
1	5	3	4	8	2	7	9	6
2	8	6	3	7	9	4	5	1

304

3	5	8	1	4	2	6	9	7
7	2	4	8	6	9	3	1	5
6	9	1	5	7	3	8	2	4
5	1	9	4	2	6	7	3	8
2	4	6	7	3	8	9	5	1
8	3	7	9	1	5	2	4	6
1	7	2	6	9	4	5	8	3
4	8	3	2	5	7	1	6	9
9	6	5	3	8	1	4	7	2

305

4	6	1	2	3	7	8	9	5
3	8	2	4	5	9	1	6	7
5	9	7	1	8	6	3	4	2
7	1	4	6	9	8	5	2	3
6	5	3	7	4	2	9	1	8
9	2	8	5	1	3	6	7	4
1	7	6	8	2	5	4	3	9
8	4	9	3	7	1	2	5	6
2	3	5	9	6	4	7	8	1

306

2	6	7	9	4	5	8	1	3
9	4	8	1	6	3	7	2	5
3	1	5	7	2	8	4	9	6
1	8	3	5	9	2	6	4	7
7	5	6	4	8	1	9	3	2
4	9	2	3	7	6	5	8	1
5	7	9	2	1	4	3	6	8
6	2	4	8	3	7	1	5	9
8	3	1	6	5	9	2	7	4

307

3	5	8	2	7	4	1	6	9
2	6	1	5	3	9	7	4	8
9	7	4	1	6	8	2	3	5
1	9	7	6	2	5	4	8	3
5	3	2	4	8	7	9	1	6
4	8	6	9	1	3	5	2	7
8	4	9	3	5	2	6	7	1
7	1	5	8	4	6	3	9	2
6	2	3	7	9	1	8	5	4

308

7	3	8	1	4	5	2	9	6
1	5	4	6	2	9	3	8	7
6	2	9	3	7	8	4	1	5
9	1	5	2	8	7	6	3	4
8	7	2	4	3	6	1	5	9
3	4	6	5	9	1	7	2	8
2	6	3	8	5	4	9	7	1
5	9	1	7	6	3	8	4	2
4	8	7	9	1	2	5	6	3

309

3	2	9	1	6	8	4	7	5
5	7	4	3	2	9	6	1	8
1	8	6	7	5	4	2	9	3
2	3	7	9	1	6	5	8	4
6	1	8	2	4	5	9	3	7
9	4	5	8	3	7	1	6	2
8	6	3	4	9	2	7	5	1
4	9	1	5	7	3	8	2	6
7	5	2	6	8	1	3	4	9

310

4	7	3	9	1	6	5	8	2
2	6	5	3	4	8	9	1	7
1	8	9	5	7	2	3	4	6
6	5	4	1	8	9	2	7	3
3	1	2	4	5	7	8	6	9
7	9	8	2	6	3	4	5	1
8	2	6	7	9	4	1	3	5
5	3	7	8	2	1	6	9	4
9	4	1	6	3	5	7	2	8

311

2	1	4	5	8	6	3	7	9
9	7	6	3	4	2	5	1	8
5	3	8	9	7	1	2	4	6
1	4	9	6	3	8	7	2	5
3	8	5	2	9	7	1	6	4
7	6	2	4	1	5	9	8	3
8	9	3	1	2	4	6	5	7
6	2	7	8	5	3	4	9	1
4	5	1	7	6	9	8	3	2

312

8	7	1	3	4	6	5	9	2
9	6	3	8	5	2	4	1	7
2	4	5	7	9	1	6	3	8
1	8	4	2	3	9	7	5	6
5	2	9	1	6	7	3	8	4
7	3	6	4	8	5	1	2	9
4	1	8	6	2	3	9	7	5
3	5	2	9	7	4	8	6	1
6	9	7	5	1	8	2	4	3

313

5	2	8	9	4	7	1	3	6
4	1	6	5	3	8	7	2	9
9	3	7	1	6	2	4	5	8
3	4	2	6	8	1	9	7	5
6	7	1	3	9	5	2	8	4
8	5	9	2	7	4	3	6	1
1	9	5	8	2	3	6	4	7
7	6	3	4	5	9	8	1	2
2	8	4	7	1	6	5	9	3

314

2	4	1	7	5	6	9	3	8
5	6	7	8	9	3	1	4	2
9	8	3	1	2	4	5	7	6
8	5	4	9	1	7	2	6	3
1	7	6	5	3	2	4	8	9
3	9	2	4	6	8	7	1	5
7	1	9	3	8	5	6	2	4
6	3	5	2	4	1	8	9	7
4	2	8	6	7	9	3	5	1

315

3	1	8	7	6	5	9	2	4
4	2	9	8	1	3	5	6	7
7	6	5	9	4	2	1	8	3
2	4	3	5	9	7	8	1	6
5	9	7	6	8	1	4	3	2
1	8	6	3	2	4	7	5	9
9	5	2	1	7	6	3	4	8
6	7	1	4	3	8	2	9	5
8	3	4	2	5	9	6	7	1

316

5	1	3	7	8	2	6	9	4
8	6	7	1	9	4	2	5	3
9	2	4	3	6	5	1	7	8
7	4	6	8	3	9	5	2	1
1	3	5	2	7	6	8	4	9
2	8	9	4	5	1	7	3	6
4	5	1	9	2	8	3	6	7
6	7	8	5	4	3	9	1	2
3	9	2	6	1	7	4	8	5

317

4	9	8	7	3	2	6	1	5
1	6	3	9	5	8	7	4	2
5	2	7	1	4	6	8	3	9
3	7	5	4	9	1	2	8	6
8	4	2	6	7	5	1	9	3
9	1	6	8	2	3	5	7	4
6	8	4	2	1	9	3	5	7
7	3	1	5	6	4	9	2	8
2	5	9	3	8	7	4	6	1

318

6	7	8	1	4	3	2	5	9
5	3	4	9	6	2	8	1	7
9	1	2	5	8	7	6	4	3
7	6	9	3	5	8	4	2	1
8	4	5	2	1	9	7	3	6
3	2	1	4	7	6	5	9	8
1	5	6	8	9	4	3	7	2
2	9	7	6	3	5	1	8	4
4	8	3	7	2	1	9	6	5

319

2	5	4	9	6	7	8	1	3
6	1	7	3	8	4	5	2	9
3	8	9	5	1	2	4	6	7
1	3	8	2	5	9	7	4	6
9	4	2	6	7	8	3	5	1
7	6	5	4	3	1	9	8	2
5	7	3	1	4	6	2	9	8
4	9	6	8	2	3	1	7	5
8	2	1	7	9	5	6	3	4

320

8	3	5	6	4	2	7	9	1
4	9	2	1	7	8	3	6	5
1	7	6	5	3	9	4	2	8
6	1	7	4	2	5	9	8	3
3	8	9	7	6	1	5	4	2
5	2	4	9	8	3	1	7	6
9	6	3	8	1	4	2	5	7
2	4	8	3	5	7	6	1	9
7	5	1	2	9	6	8	3	4

321

3	6	8	9	4	7	5	1	2
9	7	4	5	2	1	3	8	6
2	1	5	8	6	3	9	4	7
4	3	9	1	7	2	8	6	5
1	5	2	6	8	4	7	9	3
7	8	6	3	9	5	1	2	4
8	2	1	7	5	6	4	3	9
5	4	3	2	1	9	6	7	8
6	9	7	4	3	8	2	5	1

322

5	1	2	8	3	4	6	7	9
9	7	6	1	2	5	3	4	8
8	3	4	6	9	7	1	2	5
2	6	3	5	4	9	8	1	7
1	5	7	2	8	6	9	3	4
4	8	9	7	1	3	2	5	6
3	4	5	9	6	2	7	8	1
7	9	8	3	5	1	4	6	2
6	2	1	4	7	8	5	9	3

323

5	3	1	4	8	9	6	2	7
4	7	2	1	3	6	9	8	5
8	6	9	5	7	2	3	4	1
6	1	8	3	4	5	2	7	9
2	5	3	6	9	7	8	1	4
7	9	4	8	2	1	5	3	6
9	2	6	7	1	8	4	5	3
3	8	7	9	5	4	1	6	2
1	4	5	2	6	3	7	9	8

324

4	6	3	2	9	1	8	7	5
1	8	5	7	6	4	2	9	3
2	7	9	8	5	3	6	4	1
3	2	6	5	8	9	4	1	7
5	9	4	6	1	7	3	2	8
7	1	8	4	3	2	5	6	9
6	4	1	3	7	5	9	8	2
8	5	7	9	2	6	1	3	4
9	3	2	1	4	8	7	5	6

325

1	4	8	7	3	2	6	9	5
9	2	5	4	8	6	1	7	3
7	3	6	9	1	5	8	4	2
2	7	9	3	4	8	5	1	6
8	6	1	2	5	7	4	3	9
4	5	3	1	6	9	2	8	7
5	8	7	6	9	1	3	2	4
6	9	4	8	2	3	7	5	1
3	1	2	5	7	4	9	6	8

326

4	8	6	7	1	5	3	9	2
1	5	2	9	6	3	4	7	8
7	3	9	4	2	8	1	5	6
6	7	8	1	4	2	9	3	5
9	1	3	8	5	7	2	6	4
2	4	5	6	3	9	7	8	1
5	2	1	3	7	6	8	4	9
3	9	4	5	8	1	6	2	7
8	6	7	2	9	4	5	1	3

327

7	9	8	1	6	2	3	5	4
6	3	2	7	5	4	9	1	8
4	5	1	9	3	8	6	7	2
2	6	9	8	7	1	4	3	5
3	4	7	6	2	5	8	9	1
1	8	5	4	9	3	7	2	6
5	2	6	3	8	7	1	4	9
9	7	4	2	1	6	5	8	3
8	1	3	5	4	9	2	6	7

328

2	6	1	3	9	4	7	5	8
3	9	7	6	5	8	2	4	1
5	8	4	2	1	7	6	9	3
7	1	9	5	3	2	4	8	6
4	2	5	8	6	9	1	3	7
8	3	6	4	7	1	5	2	9
6	5	2	7	8	3	9	1	4
1	7	8	9	4	5	3	6	2
9	4	3	1	2	6	8	7	5

329

8	6	4	9	7	5	2	1	3
3	7	1	8	4	2	6	9	5
5	2	9	3	6	1	8	7	4
7	9	2	6	5	4	1	3	8
6	3	8	1	2	9	4	5	7
1	4	5	7	3	8	9	6	2
4	5	6	2	9	3	7	8	1
2	8	7	5	1	6	3	4	9
9	1	3	4	8	7	5	2	6

330

7	6	3	5	9	8	1	4	2
1	8	2	3	4	6	5	9	7
4	5	9	2	7	1	8	6	3
3	1	7	4	2	5	6	8	9
6	2	8	7	1	9	4	3	5
9	4	5	6	8	3	7	2	1
2	3	4	8	5	7	9	1	6
8	7	1	9	6	2	3	5	4
5	9	6	1	3	4	2	7	8

331

5	8	9	1	2	7	6	4	3
6	3	2	4	5	8	1	7	9
4	1	7	9	6	3	5	8	2
8	9	5	6	4	2	7	3	1
1	6	4	7	3	9	8	2	5
7	2	3	5	8	1	4	9	6
9	5	8	2	1	4	3	6	7
2	4	1	3	7	6	9	5	8
3	7	6	8	9	5	2	1	4

332

8	6	4	2	5	1	9	7	3
2	1	3	8	7	9	5	4	6
5	9	7	4	3	6	8	1	2
1	7	6	9	8	3	2	5	4
4	3	2	7	6	5	1	8	9
9	5	8	1	2	4	3	6	7
6	8	9	5	4	2	7	3	1
7	4	1	3	9	8	6	2	5
3	2	5	6	1	7	4	9	8

333

2	8	4	9	3	5	7	6	1
3	9	7	1	2	6	8	4	5
6	1	5	7	4	8	2	3	9
1	2	8	3	5	9	4	7	6
7	5	9	6	8	4	1	2	3
4	6	3	2	7	1	9	5	8
5	7	2	8	1	3	6	9	4
8	3	6	4	9	2	5	1	7
9	4	1	5	6	7	3	8	2

334

5	4	9	6	8	3	1	7	2
1	7	6	4	5	2	9	3	8
2	8	3	1	9	7	5	4	6
8	9	5	3	6	4	2	1	7
4	6	7	9	2	1	3	8	5
3	1	2	5	7	8	4	6	9
7	3	8	2	4	5	6	9	1
6	2	1	8	3	9	7	5	4
9	5	4	7	1	6	8	2	3

335

8	7	5	6	2	1	9	3	4
3	2	9	4	8	7	6	1	5
6	4	1	3	5	9	8	7	2
7	1	8	9	3	5	4	2	6
2	5	4	7	1	6	3	8	9
9	6	3	2	4	8	1	5	7
4	8	2	5	9	3	7	6	1
1	9	7	8	6	2	5	4	3
5	3	6	1	7	4	2	9	8

336

6	3	1	4	9	5	7	8	2
2	4	5	8	7	3	1	9	6
8	9	7	1	2	6	5	4	3
3	5	9	6	4	7	8	2	1
4	2	8	9	5	1	3	6	7
1	7	6	2	3	8	9	5	4
7	1	4	5	8	2	6	3	9
9	8	3	7	6	4	2	1	5
5	6	2	3	1	9	4	7	8

337

6	7	9	2	8	1	3	4	5
3	8	1	9	5	4	7	6	2
2	4	5	7	3	6	9	8	1
1	9	7	8	6	5	2	3	4
8	5	2	4	9	3	6	1	7
4	6	3	1	2	7	8	5	9
9	3	6	5	4	2	1	7	8
7	2	4	6	1	8	5	9	3
5	1	8	3	7	9	4	2	6

338

6	7	1	9	2	4	3	5	8
4	8	2	5	1	3	9	6	7
9	5	3	7	6	8	4	1	2
1	3	7	2	5	9	8	4	6
8	9	6	1	4	7	2	3	5
5	2	4	3	8	6	7	9	1
7	1	5	4	9	2	6	8	3
3	4	8	6	7	5	1	2	9
2	6	9	8	3	1	5	7	4

339

3	5	4	1	6	8	7	2	9
6	1	8	7	2	9	3	4	5
9	2	7	5	3	4	8	6	1
1	7	9	2	5	3	4	8	6
2	4	6	8	7	1	9	5	3
5	8	3	4	9	6	2	1	7
7	6	5	9	4	2	1	3	8
8	9	2	3	1	5	6	7	4
4	3	1	6	8	7	5	9	2

340

9	3	6	1	8	4	2	5	7
7	2	1	6	5	3	4	8	9
4	5	8	7	9	2	6	1	3
3	4	9	5	6	7	1	2	8
8	6	5	9	2	1	7	3	4
1	7	2	4	3	8	5	9	6
2	1	4	8	7	9	3	6	5
5	9	3	2	4	6	8	7	1
6	8	7	3	1	5	9	4	2

341

1	2	5	7	9	6	3	4	8
4	9	6	8	3	1	5	7	2
7	8	3	2	4	5	1	9	6
3	6	9	1	2	7	4	8	5
5	4	1	9	8	3	2	6	7
2	7	8	6	5	4	9	3	1
6	5	7	3	1	9	8	2	4
9	1	2	4	7	8	6	5	3
8	3	4	5	6	2	7	1	9

342

6	2	1	3	4	9	8	7	5
9	5	8	7	2	6	3	4	1
7	3	4	5	8	1	9	2	6
4	8	3	1	7	2	5	6	9
5	6	9	4	3	8	2	1	7
2	1	7	9	6	5	4	8	3
8	9	5	6	1	4	7	3	2
3	4	6	2	9	7	1	5	8
1	7	2	8	5	3	6	9	4

3 4 3

9	4	1	6	8	3	2	7	5
6	5	7	2	9	1	4	3	8
2	3	8	7	4	5	6	9	1
3	2	4	1	5	6	7	8	9
8	9	6	3	7	4	1	5	2
1	7	5	9	2	8	3	4	6
5	6	9	4	3	2	8	1	7
7	1	3	8	6	9	5	2	4
4	8	2	5	1	7	9	6	3

3 4 4

8	1	5	7	3	6	9	2	4
9	3	2	8	1	4	6	7	5
4	7	6	9	2	5	8	1	3
3	5	4	6	8	7	2	9	1
6	9	7	2	5	1	3	4	8
1	2	8	4	9	3	7	5	6
5	6	9	3	4	2	1	8	7
7	8	1	5	6	9	4	3	2
2	4	3	1	7	8	5	6	9

3 4 5

3	5	7	1	4	9	2	6	8
9	2	8	3	6	7	1	5	4
4	6	1	8	5	2	9	7	3
1	4	5	6	9	3	7	8	2
8	7	9	5	2	1	4	3	6
2	3	6	4	7	8	5	9	1
7	8	4	9	1	6	3	2	5
6	1	2	7	3	5	8	4	9
5	9	3	2	8	4	6	1	7

3 4 6

5	6	3	7	2	8	9	4	1
4	1	8	3	9	5	7	6	2
9	7	2	1	4	6	3	8	5
7	9	4	8	3	1	5	2	6
1	8	5	9	6	2	4	7	3
3	2	6	4	5	7	8	1	9
6	5	9	2	8	4	1	3	7
8	3	1	6	7	9	2	5	4
2	4	7	5	1	3	6	9	8

3 4 7

1	2	9	6	5	7	4	8	3
4	5	6	1	8	3	9	2	7
7	8	3	4	2	9	5	1	6
2	4	5	7	3	8	1	6	9
9	3	1	5	4	6	8	7	2
6	7	8	2	9	1	3	4	5
5	6	7	9	1	4	2	3	8
3	1	2	8	7	5	6	9	4
8	9	4	3	6	2	7	5	1

3 4 8

4	9	7	3	6	2	1	8	5
6	1	3	7	5	8	2	9	4
5	2	8	9	4	1	3	7	6
7	6	5	2	1	3	8	4	9
3	4	9	6	8	7	5	1	2
2	8	1	5	9	4	6	3	7
9	7	6	1	3	5	4	2	8
1	5	4	8	2	9	7	6	3
8	3	2	4	7	6	9	5	1

349

6	8	3	7	9	1	2	4	5
2	9	7	8	4	5	3	6	1
1	4	5	6	2	3	7	8	9
4	7	9	5	6	8	1	3	2
8	3	6	9	1	2	4	5	7
5	2	1	4	3	7	8	9	6
3	6	8	1	7	9	5	2	4
7	5	4	2	8	6	9	1	3
9	1	2	3	5	4	6	7	8

350

9	7	2	5	1	6	4	3	8
5	1	8	9	3	4	6	2	7
6	3	4	2	8	7	1	9	5
4	9	7	8	6	2	5	1	3
8	5	6	3	9	1	7	4	2
3	2	1	4	7	5	8	6	9
7	6	3	1	5	9	2	8	4
1	4	9	7	2	8	3	5	6
2	8	5	6	4	3	9	7	1

351

6	2	7	9	3	4	5	1	8
4	8	5	2	1	7	9	3	6
9	1	3	5	8	6	2	7	4
2	6	1	3	4	5	7	8	9
3	7	8	6	9	1	4	2	5
5	9	4	8	7	2	1	6	3
1	3	6	4	2	9	8	5	7
7	5	9	1	6	8	3	4	2
8	4	2	7	5	3	6	9	1

352

1	7	4	3	8	5	6	2	9
9	5	6	4	2	1	8	3	7
8	2	3	6	7	9	1	5	4
2	8	1	5	4	3	7	9	6
4	6	7	9	1	2	5	8	3
5	3	9	7	6	8	4	1	2
6	1	5	2	3	4	9	7	8
7	9	2	8	5	6	3	4	1
3	4	8	1	9	7	2	6	5

353

3	9	7	6	8	5	2	1	4
5	6	2	9	1	4	3	8	7
8	1	4	7	2	3	9	5	6
7	4	5	1	3	2	8	6	9
1	8	6	4	5	9	7	3	2
2	3	9	8	7	6	1	4	5
6	7	8	2	4	1	5	9	3
4	2	3	5	9	8	6	7	1
9	5	1	3	6	7	4	2	8

354

7	3	4	1	9	6	5	2	8
8	2	1	5	3	7	9	6	4
6	9	5	4	2	8	7	3	1
4	5	6	8	1	9	2	7	3
9	7	3	6	4	2	8	1	5
2	1	8	7	5	3	4	9	6
1	6	9	2	8	5	3	4	7
5	4	2	3	7	1	6	8	9
3	8	7	9	6	4	1	5	2

355

1	4	6	8	9	2	5	3	7
9	5	7	1	3	4	8	2	6
8	2	3	6	5	7	4	1	9
5	6	9	7	1	8	3	4	2
7	8	1	4	2	3	9	6	5
2	3	4	9	6	5	7	8	1
3	1	2	5	8	9	6	7	4
6	7	5	3	4	1	2	9	8
4	9	8	2	7	6	1	5	3

356

9	6	5	2	3	7	4	8	1
7	8	1	4	6	9	2	5	3
2	4	3	8	5	1	6	7	9
1	2	7	9	8	3	5	6	4
8	9	4	6	7	5	1	3	2
5	3	6	1	2	4	7	9	8
6	5	9	3	1	2	8	4	7
3	1	8	7	4	6	9	2	5
4	7	2	5	9	8	3	1	6

357

4	1	5	2	6	8	9	7	3
7	6	8	5	9	3	4	1	2
9	2	3	4	7	1	8	6	5
5	8	1	6	2	7	3	9	4
3	7	2	1	4	9	6	5	8
6	4	9	3	8	5	1	2	7
1	3	4	7	5	6	2	8	9
8	5	6	9	3	2	7	4	1
2	9	7	8	1	4	5	3	6

358

4	9	7	5	1	6	8	2	3
6	8	2	7	9	3	1	5	4
5	3	1	2	4	8	9	7	6
7	4	9	6	5	2	3	1	8
3	1	6	9	8	7	5	4	2
2	5	8	1	3	4	6	9	7
1	2	4	3	6	5	7	8	9
9	7	3	8	2	1	4	6	5
8	6	5	4	7	9	2	3	1

359

8	9	4	5	7	1	2	3	6
1	6	2	3	8	9	5	4	7
3	5	7	2	6	4	1	8	9
4	1	5	9	2	7	8	6	3
2	8	6	4	5	3	7	9	1
9	7	3	8	1	6	4	2	5
7	4	9	1	3	8	6	5	2
6	2	8	7	9	5	3	1	4
5	3	1	6	4	2	9	7	8

360

3	2	9	7	4	1	5	6	8
1	8	5	9	6	3	4	2	7
6	7	4	8	2	5	1	9	3
7	9	2	1	3	8	6	4	5
8	4	6	2	5	7	3	1	9
5	1	3	6	9	4	8	7	2
2	6	1	5	8	9	7	3	4
4	5	7	3	1	2	9	8	6
9	3	8	4	7	6	2	5	1

361

4	3	8	7	6	1	2	9	5
2	1	5	3	4	9	7	6	8
9	7	6	2	5	8	4	3	1
8	6	7	4	9	2	1	5	3
3	4	2	1	8	5	6	7	9
1	5	9	6	3	7	8	4	2
6	2	3	5	1	4	9	8	7
5	9	1	8	7	6	3	2	4
7	8	4	9	2	3	5	1	6

362

1	2	8	9	4	7	5	6	3
7	9	5	8	6	3	1	4	2
4	3	6	1	2	5	7	8	9
8	7	9	4	3	2	6	5	1
2	6	4	5	1	8	3	9	7
3	5	1	7	9	6	4	2	8
9	1	7	2	5	4	8	3	6
6	4	2	3	8	1	9	7	5
5	8	3	6	7	9	2	1	4

363

7	6	9	2	5	3	1	8	4
1	3	2	7	8	4	5	9	6
5	4	8	6	9	1	7	3	2
9	8	7	5	1	2	4	6	3
4	1	6	9	3	7	2	5	8
3	2	5	4	6	8	9	1	7
2	9	1	3	7	6	8	4	5
6	5	4	8	2	9	3	7	1
8	7	3	1	4	5	6	2	9

364

2	3	4	7	9	6	5	1	8
5	8	7	1	4	3	9	2	6
6	1	9	2	5	8	3	4	7
1	5	8	4	7	2	6	9	3
9	2	6	3	8	5	1	7	4
7	4	3	9	6	1	2	8	5
8	6	2	5	1	7	4	3	9
4	7	1	6	3	9	8	5	2
3	9	5	8	2	4	7	6	1

365

1	9	5	6	8	7	2	4	3
6	7	2	5	3	4	1	8	9
3	4	8	9	1	2	7	5	6
9	8	6	3	7	5	4	2	1
7	5	1	2	4	9	6	3	8
2	3	4	8	6	1	5	9	7
4	6	9	1	5	8	3	7	2
5	2	3	7	9	6	8	1	4
8	1	7	4	2	3	9	6	5

366

4	9	5	3	7	6	1	2	8
3	6	2	5	1	8	4	7	9
1	7	8	9	2	4	5	3	6
9	3	1	6	5	2	8	4	7
6	2	4	8	9	7	3	5	1
8	5	7	1	4	3	9	6	2
5	4	6	2	8	1	7	9	3
2	1	9	7	3	5	6	8	4
7	8	3	4	6	9	2	1	5

367

2	4	3	8	9	6	7	1	5
9	6	1	7	2	5	4	8	3
5	7	8	3	1	4	6	2	9
3	8	5	9	4	2	1	7	6
7	2	6	1	3	8	9	5	4
1	9	4	6	5	7	2	3	8
8	5	2	4	7	9	3	6	1
6	3	9	2	8	1	5	4	7
4	1	7	5	6	3	8	9	2

368

9	6	4	8	2	3	5	7	1
1	7	2	6	4	5	8	9	3
3	8	5	9	1	7	2	6	4
8	3	9	5	7	4	6	1	2
5	1	6	3	9	2	7	4	8
4	2	7	1	6	8	3	5	9
2	5	1	7	8	9	4	3	6
7	9	8	4	3	6	1	2	5
6	4	3	2	5	1	9	8	7

369

4	6	5	9	3	1	8	2	7
1	3	8	5	7	2	6	9	4
7	2	9	6	8	4	1	5	3
9	7	2	8	5	3	4	6	1
3	4	1	7	2	6	5	8	9
5	8	6	1	4	9	7	3	2
6	5	3	4	9	7	2	1	8
8	9	7	2	1	5	3	4	6
2	1	4	3	6	8	9	7	5

370

9	3	5	7	6	4	8	2	1
8	2	7	5	9	1	3	6	4
1	6	4	2	3	8	9	7	5
6	8	1	3	7	9	4	5	2
2	7	9	1	4	5	6	3	8
4	5	3	6	8	2	7	1	9
5	9	6	4	1	3	2	8	7
3	4	2	8	5	7	1	9	6
7	1	8	9	2	6	5	4	3

371

3	9	4	5	7	6	1	2	8
5	7	2	1	3	8	4	9	6
1	8	6	2	9	4	7	3	5
6	5	1	7	2	3	8	4	9
7	4	8	6	5	9	3	1	2
9	2	3	8	4	1	5	6	7
4	1	5	9	8	2	6	7	3
2	6	7	3	1	5	9	8	4
8	3	9	4	6	7	2	5	1

372

6	5	1	4	9	2	3	8	7
9	8	3	7	1	6	2	4	5
2	7	4	8	5	3	1	6	9
1	6	9	5	3	4	8	7	2
7	2	8	9	6	1	5	3	4
4	3	5	2	8	7	9	1	6
5	9	6	1	4	8	7	2	3
3	1	2	6	7	9	4	5	8
8	4	7	3	2	5	6	9	1

373

3	4	8	7	5	6	1	2	9
1	2	9	8	4	3	6	7	5
5	6	7	2	9	1	3	8	4
4	7	1	9	8	2	5	6	3
6	9	5	1	3	7	2	4	8
2	8	3	4	6	5	7	9	1
9	5	6	3	7	8	4	1	2
8	3	2	6	1	4	9	5	7
7	1	4	5	2	9	8	3	6

374

6	9	3	7	8	2	5	4	1
7	5	1	4	6	3	9	8	2
8	4	2	5	9	1	7	3	6
4	7	5	9	3	6	1	2	8
1	8	9	2	4	5	3	6	7
2	3	6	1	7	8	4	9	5
5	1	8	3	2	4	6	7	9
9	6	4	8	5	7	2	1	3
3	2	7	6	1	9	8	5	4

375

4	8	7	3	6	1	5	2	9
1	3	2	4	9	5	7	6	8
6	9	5	2	7	8	1	3	4
8	6	1	5	4	9	2	7	3
2	5	4	7	8	3	6	9	1
9	7	3	6	1	2	8	4	5
3	2	9	8	5	7	4	1	6
7	4	8	1	3	6	9	5	2
5	1	6	9	2	4	3	8	7

376

5	3	9	1	7	8	2	6	4
8	4	6	5	3	2	9	1	7
7	2	1	6	4	9	8	3	5
1	9	3	2	8	4	5	7	6
2	5	4	3	6	7	1	8	9
6	7	8	9	1	5	3	4	2
4	6	5	8	9	1	7	2	3
3	8	2	7	5	6	4	9	1
9	1	7	4	2	3	6	5	8

377

4	8	3	6	7	2	5	1	9
5	6	2	9	3	1	7	8	4
9	1	7	4	5	8	2	3	6
2	7	1	8	6	4	3	9	5
3	5	9	2	1	7	6	4	8
6	4	8	5	9	3	1	2	7
8	3	4	7	2	6	9	5	1
1	9	6	3	4	5	8	7	2
7	2	5	1	8	9	4	6	3

378

8	9	6	4	7	2	5	3	1
3	4	2	8	1	5	6	9	7
5	7	1	3	9	6	4	2	8
7	8	3	2	4	9	1	6	5
9	1	4	5	6	8	2	7	3
6	2	5	7	3	1	8	4	9
1	3	8	6	2	7	9	5	4
4	6	9	1	5	3	7	8	2
2	5	7	9	8	4	3	1	6

379

6	7	1	2	4	9	8	5	3
9	4	3	8	5	6	7	1	2
5	8	2	1	3	7	6	4	9
7	6	9	4	2	3	5	8	1
2	3	5	6	1	8	9	7	4
8	1	4	9	7	5	3	2	6
4	5	7	3	9	2	1	6	8
3	2	8	7	6	1	4	9	5
1	9	6	5	8	4	2	3	7

380

6	4	9	2	5	8	1	7	3
5	2	7	3	6	1	9	8	4
3	1	8	7	4	9	5	6	2
4	9	2	6	7	3	8	1	5
1	8	5	4	9	2	6	3	7
7	3	6	8	1	5	2	4	9
9	7	4	5	8	6	3	2	1
8	5	3	1	2	7	4	9	6
2	6	1	9	3	4	7	5	8

381

8	4	2	1	9	7	6	3	5
7	3	9	6	8	5	2	4	1
1	6	5	3	2	4	8	9	7
3	2	8	7	5	1	9	6	4
4	7	1	2	6	9	5	8	3
5	9	6	4	3	8	7	1	2
9	5	4	8	7	3	1	2	6
6	8	3	5	1	2	4	7	9
2	1	7	9	4	6	3	5	8

382

8	7	9	4	6	1	3	2	5
6	5	3	9	8	2	1	7	4
1	2	4	5	3	7	6	8	9
9	8	5	7	2	6	4	3	1
4	1	2	3	5	9	7	6	8
7	3	6	1	4	8	9	5	2
5	4	1	2	7	3	8	9	6
2	6	7	8	9	4	5	1	3
3	9	8	6	1	5	2	4	7

383

8	9	3	5	1	7	2	4	6
2	6	1	3	4	9	7	8	5
5	7	4	2	8	6	1	9	3
1	5	2	7	6	8	9	3	4
9	4	8	1	5	3	6	2	7
7	3	6	9	2	4	8	5	1
3	8	9	6	7	5	4	1	2
4	1	7	8	3	2	5	6	9
6	2	5	4	9	1	3	7	8

384

1	7	5	8	6	2	3	4	9
2	3	8	9	4	7	1	6	5
9	6	4	1	5	3	7	8	2
5	4	3	7	2	8	6	9	1
7	8	1	6	9	4	2	5	3
6	2	9	3	1	5	8	7	4
8	9	7	5	3	1	4	2	6
3	5	2	4	7	6	9	1	8
4	1	6	2	8	9	5	3	7

385

1	2	3	6	8	4	9	5	7
7	4	9	2	5	3	6	8	1
8	6	5	9	1	7	3	2	4
5	7	4	3	2	6	8	1	9
6	9	1	7	4	8	5	3	2
2	3	8	5	9	1	4	7	6
3	8	7	4	6	2	1	9	5
4	5	2	1	3	9	7	6	8
9	1	6	8	7	5	2	4	3

386

2	1	9	8	6	7	3	4	5
8	4	6	9	5	3	1	7	2
5	7	3	4	2	1	6	9	8
7	8	5	1	9	6	2	3	4
3	9	4	2	7	5	8	1	6
1	6	2	3	8	4	9	5	7
4	2	8	5	3	9	7	6	1
6	3	1	7	4	8	5	2	9
9	5	7	6	1	2	4	8	3

387

6	7	2	8	1	5	4	3	9
4	8	9	2	6	3	1	7	5
3	1	5	4	9	7	6	8	2
5	3	8	1	2	9	7	4	6
2	4	6	3	7	8	9	5	1
7	9	1	6	5	4	8	2	3
8	2	4	9	3	1	5	6	7
1	5	3	7	8	6	2	9	4
9	6	7	5	4	2	3	1	8

388

4	6	7	9	3	1	8	5	2
2	9	8	6	4	5	3	7	1
1	5	3	2	8	7	6	4	9
8	7	6	3	2	4	1	9	5
5	2	9	1	6	8	4	3	7
3	1	4	7	5	9	2	8	6
6	3	5	8	9	2	7	1	4
7	4	2	5	1	3	9	6	8
9	8	1	4	7	6	5	2	3

389

9	4	1	8	7	6	5	2	3
2	6	5	1	9	3	7	8	4
3	8	7	5	2	4	1	9	6
1	5	9	7	6	2	3	4	8
7	2	4	9	3	8	6	1	5
8	3	6	4	1	5	9	7	2
4	7	8	6	5	9	2	3	1
5	9	3	2	8	1	4	6	7
6	1	2	3	4	7	8	5	9

390

7	1	2	6	5	4	8	3	9
9	4	3	2	8	1	5	6	7
5	8	6	7	9	3	4	1	2
2	9	4	5	3	6	1	7	8
8	5	7	4	1	9	6	2	3
3	6	1	8	7	2	9	4	5
1	2	8	3	4	5	7	9	6
4	3	5	9	6	7	2	8	1
6	7	9	1	2	8	3	5	4

391

3	8	2	9	7	6	4	1	5
9	6	4	3	5	1	8	2	7
7	5	1	2	8	4	9	6	3
2	7	8	1	4	9	5	3	6
4	9	6	5	3	2	1	7	8
5	1	3	7	6	8	2	4	9
1	4	5	6	9	7	3	8	2
6	2	9	8	1	3	7	5	4
8	3	7	4	2	5	6	9	1

392

1	5	4	2	3	9	7	8	6
6	9	7	1	4	8	2	5	3
3	2	8	5	7	6	9	1	4
2	7	6	3	8	5	4	9	1
5	8	3	4	9	1	6	7	2
4	1	9	7	6	2	8	3	5
7	3	1	8	2	4	5	6	9
9	4	5	6	1	7	3	2	8
8	6	2	9	5	3	1	4	7

393

7	1	5	6	3	2	9	4	8
3	6	9	4	5	8	2	1	7
2	8	4	9	7	1	6	5	3
4	5	6	7	8	9	1	3	2
8	9	3	2	1	4	7	6	5
1	2	7	5	6	3	8	9	4
6	4	8	1	2	5	3	7	9
5	7	2	3	9	6	4	8	1
9	3	1	8	4	7	5	2	6

394

8	3	9	4	1	6	7	2	5
6	2	7	5	8	9	1	3	4
4	5	1	7	3	2	8	6	9
3	4	8	6	5	1	2	9	7
5	7	2	3	9	4	6	1	8
9	1	6	8	2	7	4	5	3
1	8	4	9	6	5	3	7	2
7	6	5	2	4	3	9	8	1
2	9	3	1	7	8	5	4	6

395

5	7	6	3	4	8	1	2	9
4	1	3	7	9	2	8	6	5
2	8	9	5	1	6	3	4	7
3	6	2	9	8	4	5	7	1
8	5	4	1	7	3	2	9	6
7	9	1	2	6	5	4	8	3
6	3	7	4	2	1	9	5	8
1	2	8	6	5	9	7	3	4
9	4	5	8	3	7	6	1	2

396

2	4	5	3	9	1	8	7	6
9	1	6	5	8	7	2	4	3
7	3	8	4	6	2	1	9	5
8	7	9	6	5	3	4	2	1
3	2	4	7	1	8	5	6	9
5	6	1	2	4	9	3	8	7
1	9	7	8	2	5	6	3	4
4	5	2	9	3	6	7	1	8
6	8	3	1	7	4	9	5	2

397

6	2	5	1	9	4	3	7	8
9	7	4	3	6	8	2	5	1
1	3	8	5	2	7	4	6	9
8	5	9	7	3	6	1	2	4
3	4	7	9	1	2	5	8	6
2	1	6	8	4	5	9	3	7
5	8	2	4	7	9	6	1	3
7	9	1	6	5	3	8	4	2
4	6	3	2	8	1	7	9	5

398

4	3	7	6	9	8	2	5	1
6	1	8	2	5	3	9	4	7
2	5	9	7	1	4	6	3	8
3	7	1	5	2	9	8	6	4
9	6	5	8	4	1	3	7	2
8	4	2	3	6	7	5	1	9
7	8	6	1	3	2	4	9	5
1	9	3	4	8	5	7	2	6
5	2	4	9	7	6	1	8	3

399

5	2	8	6	4	7	3	1	9
7	4	6	1	9	3	5	2	8
1	3	9	8	2	5	7	6	4
4	5	7	2	6	1	9	8	3
3	6	1	9	7	8	4	5	2
9	8	2	3	5	4	1	7	6
2	1	3	5	8	9	6	4	7
6	9	4	7	1	2	8	3	5
8	7	5	4	3	6	2	9	1

400

7	8	9	3	5	2	1	4	6
2	4	1	7	8	6	9	5	3
6	5	3	9	4	1	2	7	8
4	6	8	1	3	9	5	2	7
1	7	5	8	2	4	6	3	9
3	9	2	6	7	5	8	1	4
9	2	6	4	1	3	7	8	5
8	1	4	5	6	7	3	9	2
5	3	7	2	9	8	4	6	1

401

3	8	2	7	4	9	5	1	6
9	1	5	3	8	6	4	7	2
7	4	6	2	1	5	3	9	8
2	5	9	8	7	1	6	4	3
8	6	4	5	9	3	7	2	1
1	7	3	6	2	4	9	8	5
5	2	7	9	3	8	1	6	4
6	9	1	4	5	2	8	3	7
4	3	8	1	6	7	2	5	9

402

1	8	7	2	5	9	4	6	3
9	3	5	8	4	6	7	2	1
4	2	6	1	7	3	8	9	5
7	9	2	6	1	8	5	3	4
6	1	4	3	2	5	9	8	7
8	5	3	4	9	7	2	1	6
5	6	1	7	8	2	3	4	9
3	7	8	9	6	4	1	5	2
2	4	9	5	3	1	6	7	8

403

7	4	2	5	3	9	8	1	6
8	3	1	4	7	6	5	9	2
6	5	9	8	1	2	4	7	3
4	1	6	2	9	3	7	8	5
9	2	8	1	5	7	6	3	4
3	7	5	6	8	4	1	2	9
1	9	3	7	4	5	2	6	8
5	6	7	3	2	8	9	4	1
2	8	4	9	6	1	3	5	7

404

2	4	3	7	6	1	8	5	9
1	8	7	5	3	9	2	6	4
5	9	6	2	8	4	1	3	7
3	2	5	8	1	7	9	4	6
6	7	4	9	2	3	5	8	1
8	1	9	6	4	5	3	7	2
7	5	1	3	9	6	4	2	8
4	6	8	1	5	2	7	9	3
9	3	2	4	7	8	6	1	5

405

7	9	8	1	2	6	5	3	4
2	5	3	7	4	9	8	6	1
6	1	4	3	5	8	7	9	2
8	7	1	2	6	4	9	5	3
5	6	9	8	3	1	4	2	7
3	4	2	5	9	7	6	1	8
9	8	5	4	1	3	2	7	6
4	3	6	9	7	2	1	8	5
1	2	7	6	8	5	3	4	9

406

4	1	6	3	5	9	2	7	8
5	3	7	1	8	2	9	6	4
2	8	9	6	7	4	5	1	3
6	5	4	8	2	3	7	9	1
8	7	1	5	9	6	3	4	2
9	2	3	4	1	7	6	8	5
7	4	8	2	6	5	1	3	9
3	6	2	9	4	1	8	5	7
1	9	5	7	3	8	4	2	6

407

7	4	6	1	5	2	3	9	8
9	5	8	3	4	7	1	6	2
1	2	3	6	9	8	5	7	4
5	9	1	7	6	4	8	2	3
8	3	2	5	1	9	6	4	7
6	7	4	8	2	3	9	1	5
3	8	9	4	7	6	2	5	1
4	6	5	2	3	1	7	8	9
2	1	7	9	8	5	4	3	6

408

6	3	1	2	5	7	9	8	4
9	5	8	3	4	1	7	6	2
7	2	4	6	8	9	1	3	5
4	6	2	8	1	3	5	9	7
8	1	3	7	9	5	2	4	6
5	7	9	4	2	6	8	1	3
1	4	6	5	7	8	3	2	9
3	9	7	1	6	2	4	5	8
2	8	5	9	3	4	6	7	1

409

9	3	6	8	1	7	4	2	5
5	8	2	3	4	6	7	9	1
4	7	1	2	9	5	6	3	8
6	2	5	1	3	8	9	7	4
7	1	8	9	6	4	2	5	3
3	9	4	7	5	2	8	1	6
2	6	3	4	7	1	5	8	9
1	4	7	5	8	9	3	6	2
8	5	9	6	2	3	1	4	7

410

8	5	3	1	9	4	2	6	7
2	7	9	3	5	6	4	8	1
6	1	4	8	7	2	9	5	3
9	4	7	5	3	1	8	2	6
3	6	8	7	2	9	5	1	4
5	2	1	4	6	8	3	7	9
4	8	2	6	1	3	7	9	5
7	3	6	9	8	5	1	4	2
1	9	5	2	4	7	6	3	8

411

2	1	3	4	6	5	7	9	8
9	5	7	8	1	2	3	4	6
4	8	6	3	7	9	1	2	5
5	9	8	1	2	3	4	6	7
7	3	4	6	9	8	5	1	2
1	6	2	5	4	7	9	8	3
6	4	5	2	3	1	8	7	9
3	2	9	7	8	4	6	5	1
8	7	1	9	5	6	2	3	4

412

7	9	3	8	4	6	5	1	2
8	2	4	5	1	3	6	9	7
5	6	1	7	2	9	8	3	4
6	1	7	2	8	4	3	5	9
2	5	8	3	9	7	1	4	6
3	4	9	1	6	5	2	7	8
1	8	5	4	7	2	9	6	3
4	3	6	9	5	8	7	2	1
9	7	2	6	3	1	4	8	5

413

1	6	5	4	9	2	8	7	3
9	3	8	5	7	1	4	2	6
7	4	2	6	3	8	9	5	1
6	7	1	9	2	5	3	4	8
5	9	3	1	8	4	2	6	7
2	8	4	7	6	3	5	1	9
4	1	6	8	5	9	7	3	2
3	5	9	2	1	7	6	8	4
8	2	7	3	4	6	1	9	5

414

7	1	2	8	3	9	4	5	6
5	6	9	1	2	4	3	8	7
4	8	3	6	5	7	9	1	2
2	4	6	3	7	5	1	9	8
9	3	1	2	6	8	5	7	4
8	7	5	9	4	1	6	2	3
6	5	7	4	9	2	8	3	1
3	2	8	5	1	6	7	4	9
1	9	4	7	8	3	2	6	5

415

1	8	5	3	7	9	6	2	4
7	4	9	5	6	2	1	8	3
6	3	2	4	8	1	9	5	7
5	2	4	9	3	7	8	1	6
8	9	7	1	5	6	4	3	2
3	1	6	2	4	8	7	9	5
4	6	1	8	2	5	3	7	9
2	7	8	6	9	3	5	4	1
9	5	3	7	1	4	2	6	8

416

8	7	2	9	5	3	1	4	6
6	5	3	7	1	4	2	9	8
1	4	9	6	2	8	7	3	5
5	6	8	4	9	1	3	7	2
4	3	7	2	8	5	6	1	9
2	9	1	3	7	6	8	5	4
7	8	5	1	4	2	9	6	3
9	2	6	5	3	7	4	8	1
3	1	4	8	6	9	5	2	7

417

5	2	9	6	3	8	4	7	1
6	8	1	2	4	7	9	3	5
4	7	3	5	1	9	2	8	6
1	5	4	9	2	3	7	6	8
7	6	8	1	5	4	3	9	2
3	9	2	7	8	6	5	1	4
8	3	6	4	9	2	1	5	7
2	1	7	3	6	5	8	4	9
9	4	5	8	7	1	6	2	3

418

1	9	8	4	3	6	7	5	2
4	2	3	8	5	7	1	9	6
6	7	5	1	9	2	8	3	4
3	6	1	2	4	5	9	8	7
5	4	2	7	8	9	3	6	1
9	8	7	3	6	1	4	2	5
8	5	9	6	7	4	2	1	3
7	1	6	9	2	3	5	4	8
2	3	4	5	1	8	6	7	9

419

7	4	5	3	9	8	1	2	6
2	6	9	7	1	4	3	5	8
3	8	1	5	6	2	4	7	9
4	1	2	9	8	7	6	3	5
8	7	6	4	5	3	2	9	1
9	5	3	6	2	1	7	8	4
1	9	7	2	4	5	8	6	3
5	3	8	1	7	6	9	4	2
6	2	4	8	3	9	5	1	7

420

1	2	8	7	9	6	4	5	3
7	6	3	4	2	5	9	1	8
9	4	5	8	3	1	2	7	6
2	7	9	1	6	4	3	8	5
4	8	6	2	5	3	7	9	1
3	5	1	9	8	7	6	2	4
6	1	7	5	4	9	8	3	2
8	9	4	3	1	2	5	6	7
5	3	2	6	7	8	1	4	9

421

6	1	5	8	7	9	3	2	4
9	8	2	4	6	3	7	5	1
4	7	3	5	1	2	8	6	9
5	9	1	3	4	6	2	8	7
2	3	7	1	8	5	4	9	6
8	4	6	2	9	7	5	1	3
1	5	9	7	2	4	6	3	8
7	2	8	6	3	1	9	4	5
3	6	4	9	5	8	1	7	2

422

7	8	5	9	1	2	3	4	6
6	1	3	4	7	8	5	2	9
9	4	2	3	5	6	8	7	1
5	9	1	6	4	3	7	8	2
4	6	7	8	2	5	1	9	3
2	3	8	7	9	1	4	6	5
3	7	4	1	6	9	2	5	8
8	5	9	2	3	4	6	1	7
1	2	6	5	8	7	9	3	4

423

5	7	4	1	9	2	6	3	8
8	3	1	4	6	7	9	5	2
2	9	6	8	5	3	7	4	1
3	2	9	7	4	1	8	6	5
1	8	7	6	3	5	2	9	4
4	6	5	2	8	9	1	7	3
7	1	3	9	2	4	5	8	6
9	4	8	5	1	6	3	2	7
6	5	2	3	7	8	4	1	9

424

8	9	6	1	5	2	7	4	3
7	2	1	8	4	3	9	5	6
5	4	3	6	7	9	8	1	2
3	8	7	2	9	5	1	6	4
1	5	9	4	3	6	2	7	8
2	6	4	7	8	1	3	9	5
4	3	2	5	1	7	6	8	9
6	7	5	9	2	8	4	3	1
9	1	8	3	6	4	5	2	7

425

5	6	1	7	4	2	8	9	3
9	2	7	6	8	3	1	4	5
8	3	4	5	9	1	6	2	7
1	9	2	4	5	8	3	7	6
4	7	8	1	3	6	9	5	2
6	5	3	9	2	7	4	8	1
3	1	5	8	7	9	2	6	4
7	8	6	2	1	4	5	3	9
2	4	9	3	6	5	7	1	8

426

4	3	6	2	9	5	7	8	1
1	7	2	8	4	3	5	9	6
5	9	8	1	7	6	3	2	4
9	6	7	5	8	4	1	3	2
2	5	3	9	1	7	4	6	8
8	4	1	3	6	2	9	5	7
7	1	5	6	2	9	8	4	3
3	2	4	7	5	8	6	1	9
6	8	9	4	3	1	2	7	5

427

6	3	2	5	1	8	4	9	7
4	1	5	3	7	9	8	6	2
8	7	9	2	4	6	1	3	5
3	2	6	7	5	4	9	1	8
1	9	8	6	3	2	5	7	4
7	5	4	9	8	1	3	2	6
9	6	3	4	2	5	7	8	1
2	4	1	8	9	7	6	5	3
5	8	7	1	6	3	2	4	9

428

4	1	5	6	3	9	7	8	2
8	7	9	4	2	5	1	3	6
2	3	6	7	1	8	9	4	5
9	6	1	3	7	4	2	5	8
3	2	7	8	5	1	4	6	9
5	8	4	2	9	6	3	7	1
6	4	2	1	8	7	5	9	3
1	9	8	5	4	3	6	2	7
7	5	3	9	6	2	8	1	4

429

1	3	2	8	7	6	5	4	9
8	4	6	1	9	5	7	2	3
9	5	7	4	3	2	1	6	8
3	7	4	6	8	1	2	9	5
2	8	1	9	5	4	3	7	6
5	6	9	7	2	3	8	1	4
6	2	3	5	1	9	4	8	7
7	9	5	2	4	8	6	3	1
4	1	8	3	6	7	9	5	2

430

7	2	5	4	9	8	1	6	3
3	6	8	1	5	2	7	9	4
9	1	4	6	7	3	2	8	5
8	9	7	3	1	5	4	2	6
4	3	2	8	6	7	5	1	9
1	5	6	9	2	4	8	3	7
6	4	3	7	8	1	9	5	2
5	8	9	2	4	6	3	7	1
2	7	1	5	3	9	6	4	8

431

2	4	5	6	8	9	1	7	3
1	8	6	4	7	3	5	2	9
7	3	9	2	5	1	8	6	4
4	9	2	5	6	7	3	1	8
3	5	8	1	2	4	6	9	7
6	1	7	3	9	8	2	4	5
5	2	4	7	3	6	9	8	1
8	7	3	9	1	2	4	5	6
9	6	1	8	4	5	7	3	2

432

7	9	8	4	5	2	6	3	1
1	6	5	8	3	9	4	7	2
2	4	3	7	6	1	9	8	5
8	5	2	1	9	3	7	6	4
9	1	4	5	7	6	3	2	8
6	3	7	2	4	8	1	5	9
5	8	9	3	1	7	2	4	6
4	7	1	6	2	5	8	9	3
3	2	6	9	8	4	5	1	7

433

4	9	2	7	1	3	5	6	8
8	3	1	2	5	6	9	4	7
5	6	7	8	4	9	2	3	1
6	2	8	9	7	5	4	1	3
7	5	4	6	3	1	8	2	9
3	1	9	4	2	8	7	5	6
9	8	5	1	6	2	3	7	4
1	4	3	5	8	7	6	9	2
2	7	6	3	9	4	1	8	5

434

6	2	3	4	1	7	8	5	9
4	9	7	3	5	8	2	1	6
5	1	8	6	9	2	3	7	4
7	5	9	8	3	4	1	6	2
8	4	6	2	7	1	9	3	5
1	3	2	9	6	5	7	4	8
2	8	1	7	4	6	5	9	3
3	7	4	5	2	9	6	8	1
9	6	5	1	8	3	4	2	7

435

5	1	2	3	7	4	8	6	9
6	7	9	2	8	5	4	3	1
4	3	8	9	1	6	5	7	2
9	8	5	6	4	1	7	2	3
2	4	7	5	3	9	6	1	8
3	6	1	8	2	7	9	4	5
1	5	4	7	9	3	2	8	6
7	2	6	1	5	8	3	9	4
8	9	3	4	6	2	1	5	7

436

3	8	7	1	2	6	9	4	5
2	1	5	8	4	9	7	3	6
9	4	6	3	5	7	8	1	2
4	5	1	9	7	8	2	6	3
8	3	9	5	6	2	4	7	1
7	6	2	4	3	1	5	9	8
5	9	4	6	8	3	1	2	7
6	7	8	2	1	4	3	5	9
1	2	3	7	9	5	6	8	4

437

9	4	3	5	8	7	6	1	2
6	1	2	9	3	4	8	5	7
7	8	5	6	2	1	9	3	4
2	9	1	3	4	5	7	8	6
3	6	8	1	7	2	5	4	9
4	5	7	8	6	9	3	2	1
8	3	4	7	1	6	2	9	5
5	2	6	4	9	8	1	7	3
1	7	9	2	5	3	4	6	8

438

1	8	4	7	3	2	5	9	6
2	7	3	5	9	6	1	4	8
5	6	9	4	1	8	2	3	7
3	5	8	6	4	9	7	2	1
7	1	6	2	5	3	4	8	9
4	9	2	1	8	7	6	5	3
6	3	7	8	2	5	9	1	4
8	2	1	9	7	4	3	6	5
9	4	5	3	6	1	8	7	2

439

4	7	5	2	8	6	9	1	3
8	3	2	9	1	7	6	4	5
1	9	6	4	3	5	8	7	2
9	8	7	5	6	1	3	2	4
6	2	4	3	7	9	1	5	8
5	1	3	8	4	2	7	6	9
2	6	9	7	5	8	4	3	1
7	4	8	1	2	3	5	9	6
3	5	1	6	9	4	2	8	7

440

7	6	9	4	3	5	1	8	2
5	1	2	7	6	8	3	9	4
8	3	4	2	1	9	5	6	7
3	2	5	8	4	7	6	1	9
6	9	7	1	5	2	8	4	3
1	4	8	3	9	6	7	2	5
9	7	6	5	2	1	4	3	8
2	8	3	6	7	4	9	5	1
4	5	1	9	8	3	2	7	6

441

4	1	2	6	8	5	3	7	9
7	5	8	2	9	3	4	6	1
9	6	3	7	4	1	2	5	8
1	2	7	4	6	9	5	8	3
6	9	5	1	3	8	7	2	4
8	3	4	5	7	2	1	9	6
2	7	9	8	1	4	6	3	5
5	8	1	3	2	6	9	4	7
3	4	6	9	5	7	8	1	2

442

5	1	8	9	2	4	3	6	7
3	9	6	8	1	7	5	2	4
7	4	2	5	3	6	9	8	1
6	2	3	7	9	1	8	4	5
1	8	7	3	4	5	6	9	2
9	5	4	2	6	8	7	1	3
8	3	1	6	5	2	4	7	9
4	7	9	1	8	3	2	5	6
2	6	5	4	7	9	1	3	8

443

1	2	6	8	3	5	9	7	4
7	9	8	4	2	6	1	5	3
5	4	3	7	1	9	8	6	2
8	7	2	6	4	3	5	1	9
3	5	9	2	8	1	6	4	7
4	6	1	9	5	7	3	2	8
6	1	4	3	9	2	7	8	5
9	8	7	5	6	4	2	3	1
2	3	5	1	7	8	4	9	6

444

2	7	5	8	1	4	9	3	6
9	6	4	3	2	7	5	8	1
3	1	8	6	5	9	2	4	7
1	3	7	4	9	8	6	2	5
4	8	6	2	7	5	3	1	9
5	2	9	1	6	3	8	7	4
7	4	3	5	8	6	1	9	2
8	5	1	9	4	2	7	6	3
6	9	2	7	3	1	4	5	8

445

6	2	8	7	5	1	3	4	9
4	3	1	8	6	9	5	2	7
9	5	7	2	3	4	6	1	8
2	6	3	1	7	5	9	8	4
5	7	4	6	9	8	1	3	2
8	1	9	4	2	3	7	6	5
1	8	5	3	4	7	2	9	6
3	9	2	5	8	6	4	7	1
7	4	6	9	1	2	8	5	3

446

9	3	5	1	6	8	4	7	2
6	8	7	2	9	4	3	1	5
2	1	4	3	7	5	9	8	6
3	7	8	6	2	1	5	4	9
4	9	1	8	5	3	2	6	7
5	6	2	9	4	7	8	3	1
1	5	9	4	3	6	7	2	8
8	2	3	7	1	9	6	5	4
7	4	6	5	8	2	1	9	3

447

8	1	4	7	9	2	6	5	3
3	9	2	8	6	5	1	4	7
7	5	6	1	4	3	8	9	2
4	2	9	6	1	7	3	8	5
1	8	3	5	2	4	7	6	9
5	6	7	9	3	8	4	2	1
6	7	8	2	5	1	9	3	4
2	4	1	3	8	9	5	7	6
9	3	5	4	7	6	2	1	8

448

3	5	7	2	4	1	8	6	9
4	2	8	3	6	9	5	7	1
9	1	6	8	5	7	3	2	4
6	7	9	4	8	3	1	5	2
1	8	2	5	9	6	7	4	3
5	4	3	1	7	2	6	9	8
2	3	5	7	1	4	9	8	6
8	6	1	9	2	5	4	3	7
7	9	4	6	3	8	2	1	5

449

5	4	3	9	6	2	1	8	7
6	8	2	7	5	1	9	4	3
1	9	7	4	3	8	5	2	6
2	3	4	5	9	7	6	1	8
9	1	8	2	4	6	3	7	5
7	6	5	8	1	3	4	9	2
8	5	9	6	7	4	2	3	1
3	7	6	1	2	9	8	5	4
4	2	1	3	8	5	7	6	9

450

5	9	6	8	1	4	3	7	2
7	8	2	6	3	5	4	9	1
3	4	1	9	2	7	5	6	8
8	1	4	5	6	9	2	3	7
6	7	3	1	8	2	9	4	5
2	5	9	4	7	3	1	8	6
9	2	8	7	4	1	6	5	3
4	3	7	2	5	6	8	1	9
1	6	5	3	9	8	7	2	4

451

4	8	2	1	6	5	7	3	9
1	6	9	2	7	3	5	8	4
5	7	3	8	9	4	2	6	1
9	2	7	6	3	8	4	1	5
3	5	8	4	2	1	6	9	7
6	4	1	7	5	9	3	2	8
8	3	5	9	4	6	1	7	2
7	1	4	3	8	2	9	5	6
2	9	6	5	1	7	8	4	3

452

1	3	9	6	4	7	8	2	5
6	2	8	3	5	1	7	9	4
4	5	7	8	9	2	1	3	6
8	9	4	2	3	5	6	1	7
3	1	6	4	7	8	9	5	2
5	7	2	1	6	9	3	4	8
7	6	3	5	1	4	2	8	9
2	4	1	9	8	6	5	7	3
9	8	5	7	2	3	4	6	1

453

6	2	5	9	4	7	8	1	3
7	3	1	5	8	6	4	2	9
4	8	9	1	3	2	7	5	6
1	6	3	2	5	8	9	4	7
9	5	8	4	7	3	1	6	2
2	7	4	6	1	9	3	8	5
5	4	6	3	9	1	2	7	8
8	9	2	7	6	4	5	3	1
3	1	7	8	2	5	6	9	4

454

9	3	1	5	2	7	6	8	4
2	7	5	6	8	4	9	1	3
8	6	4	9	3	1	2	5	7
3	5	6	8	1	2	4	7	9
1	8	7	4	6	9	5	3	2
4	2	9	7	5	3	1	6	8
7	1	2	3	4	6	8	9	5
6	9	8	2	7	5	3	4	1
5	4	3	1	9	8	7	2	6

455

5	6	2	9	3	1	8	7	4
8	3	7	5	2	4	1	6	9
4	1	9	7	6	8	5	2	3
6	5	1	4	9	3	7	8	2
7	9	3	8	1	2	4	5	6
2	4	8	6	5	7	3	9	1
9	7	6	3	4	5	2	1	8
3	2	5	1	8	9	6	4	7
1	8	4	2	7	6	9	3	5

456

5	8	2	4	3	1	9	7	6
3	4	6	2	9	7	5	1	8
1	9	7	6	5	8	3	4	2
4	7	8	3	2	9	1	6	5
6	1	3	8	7	5	2	9	4
9	2	5	1	4	6	7	8	3
8	6	9	5	1	2	4	3	7
2	3	1	7	6	4	8	5	9
7	5	4	9	8	3	6	2	1

457

5	8	2	1	3	9	4	7	6
7	1	6	8	2	4	5	3	9
4	9	3	6	5	7	2	8	1
3	2	4	9	1	8	6	5	7
6	7	9	5	4	3	8	1	2
8	5	1	2	7	6	9	4	3
2	4	5	7	9	1	3	6	8
9	6	7	3	8	5	1	2	4
1	3	8	4	6	2	7	9	5

458

2	4	9	6	1	7	8	3	5
8	7	3	2	4	5	1	9	6
6	1	5	9	8	3	4	7	2
4	9	7	3	5	2	6	8	1
1	6	2	8	7	9	3	5	4
3	5	8	1	6	4	7	2	9
7	8	6	5	9	1	2	4	3
9	2	4	7	3	6	5	1	8
5	3	1	4	2	8	9	6	7

459

5	9	4	6	3	8	2	7	1
6	8	2	7	9	1	3	5	4
3	1	7	5	2	4	6	8	9
1	3	6	4	5	7	9	2	8
8	7	9	1	6	2	4	3	5
2	4	5	9	8	3	7	1	6
7	6	3	8	4	5	1	9	2
4	2	8	3	1	9	5	6	7
9	5	1	2	7	6	8	4	3

460

8	1	3	7	2	9	4	5	6
9	4	5	3	1	6	7	2	8
2	6	7	4	8	5	1	3	9
3	8	6	1	5	4	9	7	2
1	5	2	9	7	3	6	8	4
7	9	4	8	6	2	3	1	5
6	2	9	5	3	1	8	4	7
4	7	1	2	9	8	5	6	3
5	3	8	6	4	7	2	9	1

461

9	4	8	7	2	6	1	5	3
3	1	5	4	8	9	6	2	7
6	2	7	1	3	5	4	9	8
1	3	6	9	5	2	7	8	4
2	5	4	6	7	8	9	3	1
7	8	9	3	4	1	2	6	5
4	7	2	5	6	3	8	1	9
5	6	1	8	9	4	3	7	2
8	9	3	2	1	7	5	4	6

462

1	3	2	9	7	8	6	5	4
7	5	4	6	3	1	9	8	2
6	9	8	2	4	5	1	3	7
5	7	9	1	6	4	8	2	3
4	8	1	5	2	3	7	9	6
2	6	3	7	8	9	4	1	5
9	1	6	3	5	7	2	4	8
8	2	5	4	1	6	3	7	9
3	4	7	8	9	2	5	6	1

5	4	6	2	7	9	1	3	8
1	2	9	5	8	3	4	7	6
3	7	8	4	6	1	9	5	2
9	8	2	3	4	7	6	1	5
4	3	7	6	1	5	2	8	9
6	5	1	9	2	8	7	4	3
7	9	5	1	3	6	8	2	4
2	1	3	8	9	4	5	6	7
8	6	4	7	5	2	3	9	1

8	7	9	3	1	5	4	2	6
3	5	6	7	2	4	9	1	8
4	1	2	8	6	9	7	3	5
7	8	4	2	3	6	1	5	9
1	2	3	9	5	8	6	7	4
9	6	5	4	7	1	3	8	2
5	9	7	1	4	2	8	6	3
2	4	1	6	8	3	5	9	7
6	3	8	5	9	7	2	4	1

4	5	9	3	7	6	1	8	2
2	6	8	4	5	1	3	9	7
1	7	3	8	9	2	5	6	4
9	1	5	6	8	7	4	2	3
7	8	4	1	2	3	9	5	6
3	2	6	9	4	5	7	1	8
8	4	7	5	6	9	2	3	1
6	9	1	2	3	4	8	7	5
5	3	2	7	1	8	6	4	9

4	3	8	7	2	9	1	5	6
9	6	7	1	8	5	3	2	4
1	5	2	4	3	6	8	7	9
5	9	4	6	1	3	7	8	2
8	2	1	5	4	7	6	9	3
3	7	6	2	9	8	4	1	5
7	8	5	9	6	4	2	3	1
2	4	3	8	5	1	9	6	7
6	1	9	3	7	2	5	4	8

8	1	3	9	6	2	4	5	7
4	6	9	1	7	5	3	2	8
7	5	2	8	3	4	6	1	9
3	8	6	5	1	9	7	4	2
9	4	5	7	2	3	8	6	1
2	7	1	4	8	6	5	9	3
1	2	7	6	5	8	9	3	4
6	9	8	3	4	1	2	7	5
5	3	4	2	9	7	1	8	6

8	4	5	9	7	2	6	1	3
6	9	7	4	1	3	2	8	5
2	3	1	5	6	8	7	9	4
7	2	8	3	5	6	9	4	1
5	6	4	7	9	1	8	3	2
3	1	9	8	2	4	5	7	6
9	7	2	1	4	5	3	6	8
1	8	6	2	3	9	4	5	7
4	5	3	6	8	7	1	2	9

469

6	3	4	7	8	1	5	2	9
5	8	1	3	2	9	7	6	4
7	2	9	5	6	4	1	3	8
1	7	3	2	9	5	8	4	6
2	4	6	8	1	7	9	5	3
8	9	5	4	3	6	2	7	1
9	1	2	6	5	3	4	8	7
4	6	8	9	7	2	3	1	5
3	5	7	1	4	8	6	9	2

470

4	6	7	9	1	8	5	2	3
2	3	1	5	7	4	9	8	6
5	8	9	3	2	6	4	7	1
8	1	6	7	5	9	3	4	2
9	2	4	6	3	1	7	5	8
7	5	3	4	8	2	1	6	9
3	7	8	1	6	5	2	9	4
6	9	5	2	4	3	8	1	7
1	4	2	8	9	7	6	3	5

471

4	8	1	5	3	2	7	6	9
5	2	6	8	7	9	1	4	3
9	3	7	1	6	4	5	2	8
3	1	4	7	2	5	8	9	6
7	5	9	6	4	8	3	1	2
2	6	8	3	9	1	4	7	5
1	9	2	4	5	3	6	8	7
6	4	3	2	8	7	9	5	1
8	7	5	9	1	6	2	3	4

472

6	4	3	2	8	7	9	1	5
7	2	1	5	3	9	4	6	8
9	5	8	1	6	4	3	2	7
5	7	2	3	9	8	1	4	6
3	6	9	4	7	1	8	5	2
8	1	4	6	5	2	7	3	9
1	8	5	9	2	3	6	7	4
2	3	7	8	4	6	5	9	1
4	9	6	7	1	5	2	8	3

473

5	8	6	9	1	7	4	3	2
7	1	3	2	8	4	6	9	5
4	9	2	3	5	6	1	7	8
6	3	4	7	9	5	8	2	1
8	7	1	4	3	2	9	5	6
2	5	9	1	6	8	7	4	3
3	2	8	6	4	9	5	1	7
1	4	5	8	7	3	2	6	9
9	6	7	5	2	1	3	8	4

474

7	4	5	2	9	6	3	1	8
6	8	2	3	4	1	5	7	9
1	9	3	5	7	8	4	6	2
8	2	6	9	5	3	7	4	1
3	1	9	4	6	7	8	2	5
4	5	7	8	1	2	6	9	3
9	6	1	7	3	5	2	8	4
5	7	8	1	2	4	9	3	6
2	3	4	6	8	9	1	5	7

475

5	8	1	6	3	2	4	7	9
6	9	2	8	7	4	3	1	5
4	3	7	1	9	5	6	8	2
8	6	9	2	1	3	7	5	4
2	1	5	7	4	9	8	3	6
7	4	3	5	6	8	9	2	1
3	5	4	9	2	7	1	6	8
1	7	8	4	5	6	2	9	3
9	2	6	3	8	1	5	4	7

476

9	6	2	5	8	1	7	4	3
5	4	1	6	3	7	8	2	9
3	8	7	4	9	2	6	5	1
6	3	8	1	7	5	4	9	2
2	5	4	9	6	3	1	8	7
1	7	9	2	4	8	5	3	6
7	9	3	8	1	4	2	6	5
4	2	6	7	5	9	3	1	8
8	1	5	3	2	6	9	7	4

477

6	3	5	8	7	9	1	4	2
4	2	9	5	1	3	8	6	7
1	7	8	6	4	2	9	5	3
3	9	6	4	2	1	7	8	5
5	4	2	7	3	8	6	1	9
7	8	1	9	5	6	2	3	4
8	5	7	2	6	4	3	9	1
9	1	4	3	8	7	5	2	6
2	6	3	1	9	5	4	7	8

478

3	5	9	1	7	2	6	4	8
8	7	1	3	6	4	2	5	9
4	2	6	8	9	5	7	3	1
9	1	4	7	5	8	3	2	6
2	6	5	4	3	9	1	8	7
7	3	8	2	1	6	4	9	5
6	4	7	9	8	3	5	1	2
1	8	2	5	4	7	9	6	3
5	9	3	6	2	1	8	7	4

479

9	4	8	7	3	1	5	2	6
2	7	5	9	4	6	1	3	8
6	1	3	8	5	2	4	7	9
4	9	6	2	8	5	3	1	7
8	3	7	4	1	9	6	5	2
1	5	2	3	6	7	9	8	4
3	2	9	5	7	4	8	6	1
5	6	4	1	2	8	7	9	3
7	8	1	6	9	3	2	4	5

480

8	7	1	9	3	2	6	5	4
2	5	6	1	4	8	3	9	7
3	4	9	5	6	7	1	2	8
6	9	7	2	5	3	4	8	1
5	8	2	7	1	4	9	3	6
1	3	4	8	9	6	5	7	2
7	1	5	4	2	9	8	6	3
4	6	8	3	7	5	2	1	9
9	2	3	6	8	1	7	4	5

481

6	4	8	3	5	7	2	9	1
9	3	7	6	2	1	8	5	4
5	2	1	4	9	8	3	7	6
7	6	3	2	8	4	5	1	9
8	5	2	9	1	6	4	3	7
1	9	4	7	3	5	6	2	8
2	7	9	8	6	3	1	4	5
4	1	6	5	7	2	9	8	3
3	8	5	1	4	9	7	6	2

482

5	4	7	6	2	8	9	3	1
8	6	3	9	7	1	4	2	5
9	1	2	5	3	4	6	8	7
1	3	6	8	9	2	5	7	4
4	8	9	1	5	7	2	6	3
2	7	5	4	6	3	8	1	9
3	2	4	7	8	9	1	5	6
6	9	8	3	1	5	7	4	2
7	5	1	2	4	6	3	9	8

483

9	2	4	5	6	3	7	1	8
6	5	7	8	1	4	3	9	2
8	3	1	9	7	2	5	6	4
1	4	3	6	2	5	8	7	9
7	8	6	1	4	9	2	3	5
2	9	5	3	8	7	1	4	6
5	1	8	4	3	6	9	2	7
3	6	2	7	9	8	4	5	1
4	7	9	2	5	1	6	8	3

484

2	6	4	9	1	7	3	5	8
1	7	3	4	8	5	6	9	2
8	5	9	2	6	3	7	4	1
6	3	8	1	4	9	5	2	7
5	4	1	6	7	2	9	8	3
7	9	2	5	3	8	4	1	6
4	1	5	7	2	6	8	3	9
3	2	6	8	9	4	1	7	5
9	8	7	3	5	1	2	6	4

485

3	6	2	1	9	8	5	7	4
8	5	4	2	3	7	6	9	1
9	7	1	5	4	6	8	2	3
6	1	8	7	2	5	3	4	9
5	3	7	9	6	4	1	8	2
4	2	9	3	8	1	7	5	6
7	9	5	4	1	3	2	6	8
2	8	3	6	7	9	4	1	5
1	4	6	8	5	2	9	3	7

486

6	8	2	4	3	7	9	5	1
5	4	1	2	8	9	7	6	3
3	7	9	6	5	1	4	2	8
9	6	5	3	4	2	8	1	7
4	3	8	7	1	5	6	9	2
2	1	7	8	9	6	3	4	5
7	2	4	5	6	8	1	3	9
8	9	6	1	2	3	5	7	4
1	5	3	9	7	4	2	8	6

487

3	8	4	2	7	9	6	1	5
5	7	9	4	6	1	3	2	8
2	6	1	8	3	5	9	4	7
7	3	2	5	4	8	1	6	9
9	5	6	1	2	3	8	7	4
1	4	8	7	9	6	5	3	2
4	1	3	9	8	2	7	5	6
8	2	5	6	1	7	4	9	3
6	9	7	3	5	4	2	8	1

488

4	2	3	8	1	7	6	5	9
9	8	7	3	6	5	1	4	2
1	5	6	9	2	4	3	8	7
5	1	4	2	8	3	9	7	6
7	6	8	1	5	9	2	3	4
2	3	9	4	7	6	8	1	5
8	7	1	6	4	2	5	9	3
3	4	2	5	9	1	7	6	8
6	9	5	7	3	8	4	2	1

489

7	9	8	6	1	2	5	3	4
3	5	1	8	4	7	9	2	6
4	6	2	3	5	9	8	1	7
2	3	9	7	8	5	4	6	1
5	7	6	4	2	1	3	9	8
1	8	4	9	3	6	7	5	2
6	2	3	5	7	4	1	8	9
8	1	7	2	9	3	6	4	5
9	4	5	1	6	8	2	7	3

490

1	3	4	6	5	8	7	2	9
2	5	9	3	7	4	8	1	6
8	7	6	2	9	1	3	5	4
4	1	7	8	2	9	6	3	5
6	8	5	4	1	3	2	9	7
9	2	3	5	6	7	1	4	8
5	9	1	7	8	2	4	6	3
3	6	8	1	4	5	9	7	2
7	4	2	9	3	6	5	8	1

491

3	7	2	8	9	6	4	5	1
1	4	9	7	3	5	6	2	8
6	5	8	1	2	4	9	3	7
2	6	5	3	8	1	7	9	4
7	8	4	6	5	9	2	1	3
9	3	1	4	7	2	8	6	5
5	9	7	2	4	3	1	8	6
8	1	3	9	6	7	5	4	2
4	2	6	5	1	8	3	7	9

492

9	1	7	3	4	2	8	6	5
3	2	8	5	6	9	4	7	1
6	5	4	7	8	1	9	2	3
8	9	6	1	3	7	5	4	2
1	3	5	6	2	4	7	8	9
4	7	2	9	5	8	3	1	6
2	4	3	8	9	6	1	5	7
7	6	9	4	1	5	2	3	8
5	8	1	2	7	3	6	9	4

493

4	7	1	5	6	2	3	9	8
5	8	3	9	7	1	4	6	2
6	9	2	3	4	8	7	5	1
7	6	4	2	9	3	1	8	5
8	2	9	1	5	7	6	4	3
1	3	5	6	8	4	2	7	9
3	5	6	7	1	9	8	2	4
2	4	7	8	3	5	9	1	6
9	1	8	4	2	6	5	3	7

494

2	8	6	3	5	9	4	1	7
3	5	4	8	1	7	2	6	9
7	1	9	4	6	2	3	5	8
5	3	8	9	2	6	7	4	1
1	9	2	7	4	3	6	8	5
4	6	7	1	8	5	9	3	2
9	2	5	6	3	1	8	7	4
8	7	3	5	9	4	1	2	6
6	4	1	2	7	8	5	9	3

495

9	3	7	5	4	6	2	1	8
6	8	5	3	2	1	4	9	7
2	1	4	9	7	8	6	3	5
5	4	9	8	1	3	7	2	6
7	6	1	2	5	4	9	8	3
3	2	8	7	6	9	5	4	1
4	9	6	1	8	5	3	7	2
8	7	3	6	9	2	1	5	4
1	5	2	4	3	7	8	6	9

496

5	2	7	1	9	4	3	8	6
8	6	4	7	2	3	5	1	9
9	3	1	5	6	8	4	2	7
7	4	6	8	1	5	9	3	2
2	9	3	4	7	6	1	5	8
1	8	5	2	3	9	6	7	4
3	5	8	6	4	2	7	9	1
6	7	2	9	5	1	8	4	3
4	1	9	3	8	7	2	6	5

497

4	5	6	2	3	9	1	7	8
7	8	1	4	6	5	3	2	9
3	9	2	1	8	7	6	4	5
9	1	7	3	4	8	2	5	6
8	6	3	9	5	2	7	1	4
2	4	5	7	1	6	8	9	3
5	3	9	8	7	1	4	6	2
6	7	4	5	2	3	9	8	1
1	2	8	6	9	4	5	3	7

498

9	8	4	1	2	3	6	7	5
5	7	3	9	8	6	4	1	2
6	1	2	4	7	5	8	9	3
2	9	5	8	3	7	1	6	4
3	6	1	2	9	4	7	5	8
8	4	7	6	5	1	3	2	9
1	3	8	5	6	2	9	4	7
4	5	9	7	1	8	2	3	6
7	2	6	3	4	9	5	8	1

499

3	8	6	5	2	4	9	7	1
7	9	5	3	8	1	6	2	4
4	2	1	7	9	6	5	8	3
1	7	2	6	3	9	4	5	8
8	6	4	2	1	5	3	9	7
5	3	9	8	4	7	1	6	2
9	4	8	1	6	2	7	3	5
2	1	7	9	5	3	8	4	6
6	5	3	4	7	8	2	1	9

500

6	8	2	3	7	5	1	4	9
7	3	4	6	9	1	5	8	2
1	9	5	8	2	4	7	6	3
2	6	1	7	8	9	4	3	5
4	7	9	5	6	3	8	2	1
8	5	3	4	1	2	6	9	7
5	2	7	9	4	6	3	1	8
9	4	8	1	3	7	2	5	6
3	1	6	2	5	8	9	7	4

501

2	3	6	9	1	5	8	7	4
9	8	5	6	4	7	1	3	2
4	7	1	3	8	2	6	5	9
8	9	2	7	6	4	5	1	3
7	6	3	1	5	9	4	2	8
1	5	4	8	2	3	7	9	6
6	1	7	2	3	8	9	4	5
5	2	8	4	9	1	3	6	7
3	4	9	5	7	6	2	8	1

502

5	6	9	1	4	7	2	3	8
3	1	7	6	8	2	4	5	9
4	2	8	3	9	5	7	6	1
1	9	6	7	5	3	8	2	4
7	8	5	9	2	4	6	1	3
2	4	3	8	1	6	5	9	7
8	3	2	5	7	9	1	4	6
6	7	4	2	3	1	9	8	5
9	5	1	4	6	8	3	7	2

503

2	7	1	8	4	9	5	6	3
5	4	9	2	3	6	1	8	7
6	8	3	1	5	7	4	9	2
9	6	2	3	8	5	7	4	1
7	3	5	9	1	4	6	2	8
8	1	4	6	7	2	3	5	9
4	2	8	7	6	3	9	1	5
1	5	7	4	9	8	2	3	6
3	9	6	5	2	1	8	7	4

504

7	6	8	9	3	1	5	4	2
4	1	9	7	2	5	8	6	3
3	2	5	6	4	8	7	9	1
9	4	6	8	1	2	3	5	7
5	3	1	4	7	9	6	2	8
8	7	2	5	6	3	9	1	4
2	8	3	1	9	6	4	7	5
6	5	4	2	8	7	1	3	9
1	9	7	3	5	4	2	8	6

505

1	9	6	5	4	7	2	3	8
7	5	4	2	8	3	6	9	1
8	3	2	9	1	6	5	4	7
9	2	1	8	5	4	3	7	6
6	7	5	3	2	1	9	8	4
4	8	3	6	7	9	1	5	2
5	4	7	1	9	2	8	6	3
3	1	8	7	6	5	4	2	9
2	6	9	4	3	8	7	1	5

506

5	9	1	3	2	7	8	6	4
6	3	8	9	4	5	7	2	1
7	2	4	1	8	6	9	5	3
9	5	2	6	1	4	3	7	8
8	6	3	7	5	9	1	4	2
4	1	7	8	3	2	6	9	5
2	8	6	4	9	1	5	3	7
1	7	5	2	6	3	4	8	9
3	4	9	5	7	8	2	1	6

507

1	3	4	9	6	8	5	7	2
7	6	8	2	4	5	1	3	9
5	2	9	1	7	3	6	4	8
3	7	5	6	1	2	8	9	4
2	9	1	7	8	4	3	5	6
4	8	6	3	5	9	2	1	7
8	4	3	5	9	6	7	2	1
9	1	2	8	3	7	4	6	5
6	5	7	4	2	1	9	8	3

508

5	4	2	7	9	8	3	1	6
9	6	1	3	4	2	5	7	8
8	3	7	1	6	5	2	4	9
3	1	4	2	8	6	7	9	5
7	5	6	4	1	9	8	2	3
2	9	8	5	7	3	4	6	1
4	8	3	6	2	1	9	5	7
6	2	5	9	3	7	1	8	4
1	7	9	8	5	4	6	3	2

509

4	6	7	3	5	2	8	1	9
1	5	3	9	6	8	4	7	2
2	8	9	7	1	4	6	5	3
6	7	8	2	4	1	9	3	5
9	4	1	8	3	5	2	6	7
5	3	2	6	9	7	1	8	4
3	1	5	4	8	9	7	2	6
8	2	4	5	7	6	3	9	1
7	9	6	1	2	3	5	4	8

510

7	4	8	3	1	2	9	6	5
9	5	1	6	4	7	3	8	2
3	6	2	5	8	9	7	4	1
2	7	4	1	9	3	6	5	8
1	9	3	8	5	6	2	7	4
6	8	5	7	2	4	1	9	3
5	2	6	9	3	8	4	1	7
4	1	9	2	7	5	8	3	6
8	3	7	4	6	1	5	2	9

511

4	9	2	1	7	8	6	5	3
8	6	7	2	3	5	1	9	4
1	5	3	9	6	4	8	2	7
5	8	6	3	4	7	9	1	2
7	4	1	8	9	2	3	6	5
2	3	9	5	1	6	4	7	8
9	7	4	6	2	3	5	8	1
3	1	8	7	5	9	2	4	6
6	2	5	4	8	1	7	3	9

512

4	7	5	1	3	8	2	9	6
8	1	9	4	6	2	5	7	3
6	2	3	7	5	9	8	4	1
2	3	6	9	8	4	1	5	7
5	9	1	2	7	6	4	3	8
7	4	8	5	1	3	6	2	9
3	6	4	8	2	7	9	1	5
9	5	7	6	4	1	3	8	2
1	8	2	3	9	5	7	6	4

513

3	4	8	2	9	6	5	1	7
2	6	9	7	5	1	4	8	3
5	1	7	4	8	3	6	2	9
9	7	6	3	1	4	8	5	2
4	8	5	6	2	9	3	7	1
1	2	3	5	7	8	9	6	4
6	9	1	8	3	7	2	4	5
7	5	4	9	6	2	1	3	8
8	3	2	1	4	5	7	9	6

514

9	6	8	5	7	3	2	1	4
4	2	5	8	9	1	3	6	7
7	1	3	4	6	2	5	8	9
2	8	6	3	5	9	7	4	1
5	7	9	6	1	4	8	2	3
3	4	1	7	2	8	6	9	5
6	3	4	1	8	7	9	5	2
1	5	2	9	3	6	4	7	8
8	9	7	2	4	5	1	3	6

515

9	5	4	6	3	1	2	8	7
1	8	7	4	2	5	6	3	9
6	2	3	7	9	8	5	4	1
3	4	5	9	8	6	7	1	2
7	9	6	3	1	2	4	5	8
8	1	2	5	7	4	3	9	6
5	7	9	1	6	3	8	2	4
2	3	1	8	4	7	9	6	5
4	6	8	2	5	9	1	7	3

516

4	8	2	7	5	6	1	3	9
3	9	1	8	4	2	7	5	6
5	6	7	1	3	9	8	2	4
6	7	4	3	8	5	2	9	1
2	1	3	6	9	7	5	4	8
8	5	9	2	1	4	6	7	3
1	3	5	9	7	8	4	6	2
9	4	6	5	2	1	3	8	7
7	2	8	4	6	3	9	1	5

517

4	6	2	5	1	9	7	8	3
1	7	9	3	2	8	5	4	6
5	8	3	6	7	4	2	1	9
6	9	7	8	4	1	3	5	2
8	3	1	7	5	2	6	9	4
2	5	4	9	3	6	1	7	8
3	4	8	1	6	7	9	2	5
9	1	6	2	8	5	4	3	7
7	2	5	4	9	3	8	6	1

518

6	2	1	3	8	9	7	5	4
3	7	8	6	4	5	2	1	9
4	5	9	2	1	7	8	6	3
2	9	5	1	3	8	4	7	6
7	3	6	4	5	2	1	9	8
1	8	4	9	7	6	5	3	2
9	4	3	7	2	1	6	8	5
5	6	7	8	9	4	3	2	1
8	1	2	5	6	3	9	4	7

519

5	8	7	6	4	3	1	2	9
6	4	3	1	2	9	5	8	7
9	1	2	7	8	5	6	4	3
2	3	5	9	7	8	4	6	1
7	9	4	5	6	1	2	3	8
8	6	1	2	3	4	7	9	5
1	7	8	4	9	2	3	5	6
3	2	6	8	5	7	9	1	4
4	5	9	3	1	6	8	7	2

520

3	1	9	8	7	4	6	5	2
4	5	8	9	6	2	1	3	7
6	7	2	3	1	5	9	8	4
9	2	7	6	8	3	4	1	5
8	3	1	5	4	7	2	6	9
5	4	6	2	9	1	8	7	3
7	8	3	1	2	9	5	4	6
2	6	5	4	3	8	7	9	1
1	9	4	7	5	6	3	2	8

521

9	8	2	7	4	6	1	5	3
3	4	6	8	1	5	2	7	9
5	7	1	9	3	2	6	4	8
2	6	4	3	5	9	7	8	1
7	5	3	1	6	8	4	9	2
8	1	9	2	7	4	5	3	6
6	3	7	5	8	1	9	2	4
4	2	8	6	9	7	3	1	5
1	9	5	4	2	3	8	6	7

522

7	1	9	6	4	3	8	2	5
4	8	6	1	2	5	9	7	3
3	5	2	8	7	9	1	4	6
9	4	5	2	6	8	7	3	1
8	6	3	9	1	7	4	5	2
1	2	7	3	5	4	6	9	8
5	3	4	7	8	1	2	6	9
6	7	1	5	9	2	3	8	4
2	9	8	4	3	6	5	1	7

523

8	9	4	1	3	2	6	7	5
5	7	2	9	4	6	8	1	3
3	6	1	8	5	7	2	9	4
6	1	9	7	2	4	3	5	8
4	2	8	3	9	5	7	6	1
7	5	3	6	8	1	9	4	2
2	4	7	5	6	8	1	3	9
9	8	6	4	1	3	5	2	7
1	3	5	2	7	9	4	8	6

524

3	6	8	5	9	2	1	7	4
5	1	7	3	8	4	6	9	2
9	2	4	6	7	1	5	8	3
6	5	1	7	4	8	3	2	9
2	7	9	1	3	6	8	4	5
8	4	3	2	5	9	7	1	6
7	9	6	4	1	3	2	5	8
1	8	2	9	6	5	4	3	7
4	3	5	8	2	7	9	6	1

525

5	6	1	4	2	3	9	7	8
4	8	9	6	1	7	5	3	2
3	2	7	8	5	9	1	6	4
2	7	6	5	8	4	3	1	9
1	9	3	2	7	6	8	4	5
8	4	5	9	3	1	6	2	7
6	3	4	7	9	5	2	8	1
7	5	8	1	6	2	4	9	3
9	1	2	3	4	8	7	5	6

526

2	6	1	8	7	9	4	3	5
4	5	3	1	2	6	8	7	9
9	7	8	4	5	3	6	1	2
7	4	2	6	3	5	1	9	8
3	9	6	7	1	8	2	5	4
1	8	5	9	4	2	3	6	7
8	1	9	5	6	4	7	2	3
6	2	4	3	9	7	5	8	1
5	3	7	2	8	1	9	4	6

527

1	6	2	4	5	7	8	3	9
3	4	7	1	8	9	6	2	5
5	8	9	3	6	2	7	1	4
7	5	6	2	3	4	9	8	1
4	9	8	5	7	1	3	6	2
2	3	1	8	9	6	5	4	7
9	2	5	6	4	8	1	7	3
8	1	3	7	2	5	4	9	6
6	7	4	9	1	3	2	5	8

528

6	5	2	4	1	9	3	7	8
3	4	9	7	5	8	6	1	2
8	1	7	3	2	6	5	4	9
2	8	4	5	3	1	9	6	7
7	6	1	8	9	2	4	5	3
5	9	3	6	4	7	2	8	1
4	7	8	2	6	3	1	9	5
9	3	6	1	7	5	8	2	4
1	2	5	9	8	4	7	3	6

529

9	2	7	4	1	3	5	6	8
8	4	6	5	9	7	2	3	1
1	5	3	2	8	6	7	9	4
7	3	4	6	5	8	9	1	2
2	6	8	9	4	1	3	7	5
5	1	9	7	3	2	8	4	6
6	8	5	3	7	4	1	2	9
3	9	2	1	6	5	4	8	7
4	7	1	8	2	9	6	5	3

530

6	8	2	1	4	5	7	3	9
9	7	3	8	6	2	1	5	4
4	1	5	3	7	9	8	2	6
2	9	4	6	8	7	3	1	5
5	6	8	9	1	3	2	4	7
1	3	7	5	2	4	9	6	8
3	5	6	2	9	8	4	7	1
7	2	9	4	5	1	6	8	3
8	4	1	7	3	6	5	9	2

531

3	2	5	9	1	7	8	6	4
6	1	9	5	8	4	3	2	7
8	7	4	6	3	2	9	1	5
9	5	1	3	6	8	7	4	2
7	3	8	2	4	1	5	9	6
2	4	6	7	9	5	1	3	8
4	9	3	8	5	6	2	7	1
5	6	2	1	7	9	4	8	3
1	8	7	4	2	3	6	5	9

532

1	3	6	8	2	9	4	5	7
9	2	4	6	5	7	1	8	3
8	7	5	3	1	4	9	6	2
7	9	1	4	6	2	8	3	5
5	6	2	9	3	8	7	4	1
4	8	3	5	7	1	6	2	9
2	4	7	1	8	5	3	9	6
6	1	8	2	9	3	5	7	4
3	5	9	7	4	6	2	1	8

533

5	9	2	8	1	6	7	4	3
4	1	3	2	7	9	6	8	5
6	7	8	3	5	4	2	1	9
3	4	5	7	2	8	9	6	1
1	2	9	5	6	3	8	7	4
7	8	6	9	4	1	3	5	2
9	3	7	1	8	5	4	2	6
2	5	4	6	9	7	1	3	8
8	6	1	4	3	2	5	9	7

534

9	6	3	2	7	5	8	4	1
4	1	8	3	6	9	7	2	5
7	2	5	1	4	8	3	6	9
1	7	2	8	9	4	6	5	3
6	3	4	7	5	1	9	8	2
8	5	9	6	2	3	1	7	4
3	8	7	4	1	2	5	9	6
5	4	1	9	8	6	2	3	7
2	9	6	5	3	7	4	1	8

535

7	3	5	8	9	2	1	6	4
4	8	6	1	3	7	9	5	2
2	1	9	4	5	6	7	3	8
3	9	1	2	8	4	6	7	5
8	7	2	6	1	5	4	9	3
5	6	4	9	7	3	8	2	1
9	4	3	7	2	1	5	8	6
6	5	8	3	4	9	2	1	7
1	2	7	5	6	8	3	4	9

536

5	6	1	3	2	9	8	7	4
9	2	3	7	8	4	6	5	1
8	4	7	6	5	1	9	2	3
3	8	5	4	6	2	7	1	9
6	7	4	9	1	8	2	3	5
2	1	9	5	7	3	4	8	6
7	5	8	1	4	6	3	9	2
1	3	6	2	9	7	5	4	8
4	9	2	8	3	5	1	6	7

537

3	9	6	4	7	8	2	5	1
1	2	5	9	3	6	7	8	4
7	4	8	5	1	2	6	9	3
2	8	9	3	4	7	5	1	6
5	7	1	6	8	9	3	4	2
4	6	3	1	2	5	9	7	8
6	5	2	8	9	4	1	3	7
9	1	4	7	6	3	8	2	5
8	3	7	2	5	1	4	6	9

538

5	6	3	9	4	7	2	1	8
9	2	4	8	3	1	7	6	5
7	8	1	6	5	2	3	4	9
1	4	8	5	6	3	9	7	2
6	5	7	1	2	9	8	3	4
2	3	9	4	7	8	1	5	6
3	1	6	2	8	5	4	9	7
4	7	2	3	9	6	5	8	1
8	9	5	7	1	4	6	2	3

539

8	2	9	3	1	5	4	6	7
7	6	4	2	8	9	1	5	3
3	5	1	6	7	4	9	8	2
5	4	7	8	6	1	2	3	9
2	1	3	9	5	7	8	4	6
9	8	6	4	3	2	5	7	1
6	7	5	1	9	8	3	2	4
4	9	8	7	2	3	6	1	5
1	3	2	5	4	6	7	9	8

540

2	4	8	5	1	7	9	3	6
6	1	7	4	9	3	2	8	5
5	9	3	8	2	6	4	7	1
4	5	2	9	6	8	7	1	3
1	3	6	7	4	2	8	5	9
8	7	9	3	5	1	6	4	2
9	2	5	1	7	4	3	6	8
3	6	4	2	8	5	1	9	7
7	8	1	6	3	9	5	2	4

541

8	6	2	7	4	1	3	5	9
4	5	9	3	6	8	1	2	7
1	3	7	9	5	2	4	8	6
9	7	6	5	8	3	2	1	4
2	4	5	6	1	7	9	3	8
3	8	1	2	9	4	7	6	5
6	9	3	1	7	5	8	4	2
7	2	8	4	3	6	5	9	1
5	1	4	8	2	9	6	7	3

542

9	2	3	7	5	8	6	1	4
8	4	1	6	9	3	7	2	5
7	6	5	1	4	2	9	8	3
2	1	6	5	3	9	8	4	7
4	9	8	2	6	7	3	5	1
5	3	7	4	8	1	2	9	6
6	5	2	9	7	4	1	3	8
3	7	9	8	1	5	4	6	2
1	8	4	3	2	6	5	7	9

543

3	7	9	1	4	8	5	2	6
5	8	2	6	9	7	4	1	3
4	1	6	5	2	3	7	9	8
6	2	3	8	1	4	9	7	5
7	4	5	3	6	9	1	8	2
8	9	1	2	7	5	6	3	4
9	3	4	7	8	6	2	5	1
1	6	8	9	5	2	3	4	7
2	5	7	4	3	1	8	6	9

544

4	6	2	9	5	8	3	7	1
3	5	8	1	4	7	9	2	6
9	7	1	6	2	3	4	8	5
2	1	7	5	6	4	8	9	3
5	3	4	8	1	9	7	6	2
6	8	9	3	7	2	5	1	4
8	9	6	2	3	5	1	4	7
7	2	5	4	8	1	6	3	9
1	4	3	7	9	6	2	5	8

545

8	6	2	9	4	7	1	5	3
9	4	7	3	1	5	8	2	6
3	5	1	6	2	8	9	4	7
2	7	9	8	6	1	4	3	5
5	1	3	7	9	4	2	6	8
6	8	4	5	3	2	7	1	9
7	2	6	4	5	9	3	8	1
4	9	5	1	8	3	6	7	2
1	3	8	2	7	6	5	9	4

546

7	3	1	5	8	4	9	2	6
8	9	6	2	1	3	5	4	7
4	5	2	6	7	9	8	3	1
5	8	7	3	4	2	6	1	9
2	6	4	1	9	5	3	7	8
3	1	9	7	6	8	2	5	4
6	4	5	9	3	1	7	8	2
1	7	3	8	2	6	4	9	5
9	2	8	4	5	7	1	6	3

547

7	5	9	8	1	6	3	2	4
8	6	2	9	3	4	1	7	5
3	1	4	2	5	7	8	6	9
5	2	8	6	9	3	7	4	1
4	3	1	5	7	8	6	9	2
9	7	6	1	4	2	5	8	3
6	4	3	7	2	5	9	1	8
1	8	5	4	6	9	2	3	7
2	9	7	3	8	1	4	5	6

548

8	2	6	5	7	4	3	1	9
5	9	3	2	6	1	8	7	4
1	4	7	9	8	3	6	2	5
6	8	5	3	2	7	4	9	1
4	1	9	8	5	6	2	3	7
7	3	2	4	1	9	5	8	6
9	7	8	6	3	5	1	4	2
2	5	1	7	4	8	9	6	3
3	6	4	1	9	2	7	5	8

549

6	8	1	9	2	4	3	7	5
2	5	9	1	7	3	6	4	8
7	3	4	5	8	6	1	9	2
1	6	7	8	9	2	5	3	4
9	2	3	4	5	7	8	1	6
8	4	5	6	3	1	7	2	9
4	9	8	7	1	5	2	6	3
5	7	2	3	6	9	4	8	1
3	1	6	2	4	8	9	5	7

550

2	1	5	4	3	9	8	6	7
7	3	4	8	2	6	9	1	5
9	8	6	1	7	5	2	4	3
4	5	1	3	6	2	7	9	8
3	6	2	9	8	7	4	5	1
8	9	7	5	1	4	3	2	6
5	4	8	7	9	1	6	3	2
1	2	3	6	4	8	5	7	9
6	7	9	2	5	3	1	8	4

551

9	6	8	3	1	7	5	4	2
3	1	2	9	5	4	8	7	6
4	5	7	6	8	2	3	9	1
5	3	6	8	4	9	1	2	7
1	7	4	2	3	6	9	5	8
2	8	9	1	7	5	6	3	4
6	9	3	7	2	8	4	1	5
8	2	5	4	9	1	7	6	3
7	4	1	5	6	3	2	8	9

552

4	5	9	1	7	3	6	8	2
1	7	8	4	2	6	3	5	9
2	6	3	8	5	9	7	1	4
6	8	1	9	4	5	2	7	3
7	9	2	3	1	8	4	6	5
3	4	5	2	6	7	8	9	1
8	3	4	6	9	1	5	2	7
9	2	7	5	8	4	1	3	6
5	1	6	7	3	2	9	4	8

553

6	1	4	2	7	8	3	9	5
7	2	5	6	3	9	8	1	4
9	8	3	4	5	1	7	6	2
2	9	6	3	1	7	5	4	8
4	3	7	5	8	6	1	2	9
1	5	8	9	4	2	6	7	3
5	6	2	7	9	3	4	8	1
8	4	9	1	6	5	2	3	7
3	7	1	8	2	4	9	5	6

554

9	4	8	6	1	2	7	5	3
2	7	1	9	5	3	8	4	6
3	6	5	4	7	8	1	2	9
8	3	4	1	6	7	2	9	5
1	2	9	3	8	5	4	6	7
6	5	7	2	9	4	3	1	8
7	8	6	5	2	1	9	3	4
4	9	2	7	3	6	5	8	1
5	1	3	8	4	9	6	7	2

555

6	9	8	3	5	1	2	4	7
2	7	4	8	6	9	3	5	1
3	1	5	4	7	2	6	9	8
8	4	2	1	3	5	9	7	6
7	3	1	2	9	6	5	8	4
9	5	6	7	4	8	1	3	2
4	6	7	9	1	3	8	2	5
5	8	3	6	2	7	4	1	9
1	2	9	5	8	4	7	6	3

556

9	8	1	2	7	5	3	6	4
3	2	6	8	4	9	7	1	5
7	5	4	3	6	1	9	2	8
2	7	8	1	5	4	6	3	9
5	6	3	9	2	8	4	7	1
4	1	9	6	3	7	5	8	2
8	9	7	5	1	6	2	4	3
1	4	2	7	9	3	8	5	6
6	3	5	4	8	2	1	9	7

557

1	7	5	9	2	8	3	4	6
3	4	2	1	7	6	9	5	8
9	6	8	3	5	4	7	1	2
7	9	6	8	3	5	1	2	4
4	8	3	6	1	2	5	9	7
5	2	1	4	9	7	8	6	3
8	3	4	5	6	1	2	7	9
2	1	9	7	4	3	6	8	5
6	5	7	2	8	9	4	3	1

558

2	1	7	4	6	5	3	9	8
8	3	5	9	1	2	4	6	7
6	9	4	3	8	7	5	1	2
4	8	1	5	7	3	9	2	6
5	2	6	1	9	8	7	3	4
9	7	3	2	4	6	1	8	5
1	4	8	6	5	9	2	7	3
7	5	2	8	3	1	6	4	9
3	6	9	7	2	4	8	5	1

559

1	9	2	4	8	3	7	6	5
7	4	8	6	2	5	1	3	9
5	3	6	7	9	1	2	4	8
6	2	4	5	7	9	8	1	3
8	1	7	3	4	6	9	5	2
3	5	9	8	1	2	4	7	6
4	7	3	9	5	8	6	2	1
9	6	1	2	3	7	5	8	4
2	8	5	1	6	4	3	9	7

560

5	6	8	3	1	2	9	7	4
4	2	1	9	7	6	8	5	3
9	7	3	8	4	5	2	1	6
1	5	7	6	3	8	4	9	2
3	8	4	7	2	9	1	6	5
2	9	6	4	5	1	3	8	7
8	4	5	1	6	3	7	2	9
7	1	2	5	9	4	6	3	8
6	3	9	2	8	7	5	4	1

561

5	7	1	2	3	4	9	6	8
9	4	2	5	8	6	1	7	3
8	3	6	9	1	7	4	5	2
3	6	8	4	9	2	5	1	7
7	9	5	3	6	1	8	2	4
1	2	4	8	7	5	6	3	9
4	1	7	6	2	8	3	9	5
6	5	9	7	4	3	2	8	1
2	8	3	1	5	9	7	4	6

562

9	6	8	5	1	7	2	3	4
1	2	7	8	4	3	5	9	6
5	4	3	2	6	9	8	7	1
6	5	1	3	7	4	9	8	2
2	8	4	6	9	5	7	1	3
7	3	9	1	8	2	4	6	5
8	1	2	7	5	6	3	4	9
3	9	6	4	2	8	1	5	7
4	7	5	9	3	1	6	2	8

563

8	3	5	4	9	7	1	2	6
6	1	4	8	5	2	9	3	7
9	7	2	3	6	1	8	5	4
2	5	8	1	3	4	7	6	9
4	6	1	9	7	5	2	8	3
7	9	3	6	2	8	4	1	5
3	4	9	2	8	6	5	7	1
5	2	6	7	1	9	3	4	8
1	8	7	5	4	3	6	9	2

564

1	8	2	4	7	5	9	3	6
3	4	7	1	9	6	5	8	2
9	5	6	3	8	2	1	7	4
7	1	3	5	6	8	2	4	9
6	2	8	7	4	9	3	1	5
4	9	5	2	3	1	8	6	7
5	7	4	9	1	3	6	2	8
2	6	1	8	5	4	7	9	3
8	3	9	6	2	7	4	5	1

565

2	6	8	1	7	5	9	3	4
5	1	3	4	6	9	7	2	8
7	4	9	2	8	3	1	6	5
4	2	1	6	3	7	5	8	9
9	7	6	8	5	2	3	4	1
8	3	5	9	1	4	6	7	2
3	8	7	5	4	1	2	9	6
1	9	4	7	2	6	8	5	3
6	5	2	3	9	8	4	1	7

566

1	9	6	5	3	2	7	4	8
2	7	3	4	8	1	9	5	6
5	4	8	9	6	7	2	3	1
3	1	7	2	4	5	6	8	9
8	2	4	3	9	6	5	1	7
6	5	9	1	7	8	4	2	3
9	6	1	8	2	4	3	7	5
7	8	2	6	5	3	1	9	4
4	3	5	7	1	9	8	6	2

567

9	2	7	1	4	3	6	5	8
4	3	6	2	8	5	7	1	9
8	5	1	7	9	6	4	3	2
5	1	2	6	3	8	9	7	4
7	4	8	9	5	2	1	6	3
3	6	9	4	1	7	2	8	5
2	9	3	8	6	1	5	4	7
6	8	4	5	7	9	3	2	1
1	7	5	3	2	4	8	9	6

568

7	5	1	4	2	9	8	3	6
4	8	2	1	6	3	9	7	5
3	9	6	7	8	5	4	1	2
1	2	4	9	3	6	7	5	8
6	7	8	5	1	4	2	9	3
5	3	9	8	7	2	1	6	4
9	1	5	6	4	8	3	2	7
8	6	3	2	9	7	5	4	1
2	4	7	3	5	1	6	8	9

569

8	9	1	3	5	4	7	2	6
2	4	7	8	1	6	9	5	3
6	5	3	9	2	7	8	4	1
3	7	5	4	8	9	6	1	2
4	2	8	1	6	5	3	7	9
1	6	9	2	7	3	4	8	5
7	1	4	6	9	2	5	3	8
5	8	6	7	3	1	2	9	4
9	3	2	5	4	8	1	6	7

570

8	6	5	2	4	3	7	9	1
3	7	2	6	9	1	5	4	8
4	1	9	8	5	7	6	2	3
6	5	8	3	2	9	1	7	4
2	9	7	4	1	8	3	5	6
1	4	3	5	7	6	2	8	9
7	8	6	9	3	2	4	1	5
9	2	4	1	6	5	8	3	7
5	3	1	7	8	4	9	6	2

571

9	5	4	8	3	7	6	1	2
1	2	6	5	4	9	7	8	3
3	8	7	1	6	2	4	9	5
6	9	3	2	1	5	8	4	7
4	1	5	6	7	8	2	3	9
8	7	2	3	9	4	1	5	6
7	6	9	4	5	1	3	2	8
5	4	8	7	2	3	9	6	1
2	3	1	9	8	6	5	7	4

572

1	8	2	9	6	5	3	7	4
7	6	3	8	2	4	1	5	9
9	5	4	7	3	1	2	8	6
3	4	9	1	5	6	8	2	7
5	1	6	2	8	7	9	4	3
2	7	8	3	4	9	5	6	1
4	2	7	5	1	3	6	9	8
8	9	1	6	7	2	4	3	5
6	3	5	4	9	8	7	1	2

573

6	8	2	1	7	5	4	3	9
9	1	3	4	2	6	8	5	7
4	7	5	9	8	3	2	1	6
3	5	1	7	4	8	9	6	2
8	2	9	3	6	1	7	4	5
7	6	4	2	5	9	3	8	1
2	9	6	8	1	4	5	7	3
1	4	7	5	3	2	6	9	8
5	3	8	6	9	7	1	2	4

574

7	4	8	6	9	2	5	3	1
1	6	2	3	4	5	8	9	7
5	9	3	8	1	7	6	4	2
9	1	7	4	6	3	2	5	8
4	2	5	9	7	8	3	1	6
3	8	6	5	2	1	9	7	4
2	5	1	7	3	6	4	8	9
8	7	9	2	5	4	1	6	3
6	3	4	1	8	9	7	2	5

575

1	2	9	4	8	5	3	7	6
5	6	7	3	9	1	2	4	8
8	3	4	7	6	2	5	9	1
3	4	6	8	2	9	1	5	7
2	7	1	6	5	3	9	8	4
9	8	5	1	4	7	6	2	3
7	9	8	2	1	6	4	3	5
6	5	3	9	7	4	8	1	2
4	1	2	5	3	8	7	6	9

576

7	8	9	6	5	2	3	4	1
3	2	5	8	4	1	6	9	7
1	4	6	7	9	3	8	2	5
4	9	3	1	6	7	5	8	2
2	7	1	5	8	9	4	3	6
5	6	8	3	2	4	1	7	9
9	1	2	4	3	5	7	6	8
6	5	4	2	7	8	9	1	3
8	3	7	9	1	6	2	5	4

577

6	9	5	4	3	1	2	8	7
4	7	3	8	5	2	6	9	1
8	2	1	9	7	6	5	4	3
7	8	9	3	2	4	1	6	5
5	6	4	1	9	7	3	2	8
3	1	2	6	8	5	4	7	9
2	3	8	5	4	9	7	1	6
9	4	6	7	1	3	8	5	2
1	5	7	2	6	8	9	3	4

578

3	2	8	5	6	1	9	4	7
5	1	4	7	3	9	6	8	2
6	9	7	4	8	2	5	1	3
9	3	1	2	4	7	8	5	6
8	5	2	3	1	6	4	7	9
7	4	6	8	9	5	3	2	1
2	6	9	1	5	4	7	3	8
1	8	5	6	7	3	2	9	4
4	7	3	9	2	8	1	6	5

579

9	5	3	4	2	8	6	7	1
8	1	7	6	3	5	2	4	9
2	6	4	9	7	1	8	5	3
6	8	9	3	5	4	1	2	7
3	7	5	1	6	2	9	8	4
1	4	2	7	8	9	5	3	6
4	3	8	2	1	6	7	9	5
5	9	1	8	4	7	3	6	2
7	2	6	5	9	3	4	1	8

580

8	2	5	3	1	9	6	4	7
9	7	4	6	2	8	1	3	5
1	3	6	4	5	7	9	8	2
6	8	1	2	3	5	4	7	9
5	9	3	8	7	4	2	6	1
2	4	7	1	9	6	8	5	3
7	6	9	5	4	2	3	1	8
4	1	2	7	8	3	5	9	6
3	5	8	9	6	1	7	2	4

581

7	3	1	8	9	2	4	5	6
5	8	4	1	6	7	9	3	2
9	2	6	5	4	3	8	7	1
1	5	3	2	8	4	6	9	7
6	4	8	9	7	5	2	1	3
2	9	7	3	1	6	5	4	8
3	7	9	6	5	8	1	2	4
4	6	5	7	2	1	3	8	9
8	1	2	4	3	9	7	6	5

582

2	4	5	3	7	8	6	1	9
9	8	6	4	1	5	7	3	2
7	3	1	6	9	2	5	8	4
3	6	7	5	2	1	9	4	8
1	5	8	7	4	9	3	2	6
4	2	9	8	6	3	1	7	5
6	7	2	9	3	4	8	5	1
8	9	4	1	5	7	2	6	3
5	1	3	2	8	6	4	9	7

583

9	4	8	5	7	3	1	2	6
3	5	7	1	6	2	9	4	8
6	2	1	9	8	4	5	3	7
5	8	9	7	2	1	3	6	4
7	1	2	3	4	6	8	9	5
4	3	6	8	5	9	7	1	2
1	7	4	6	9	5	2	8	3
2	9	5	4	3	8	6	7	1
8	6	3	2	1	7	4	5	9

584

6	8	3	5	2	4	9	7	1
4	2	9	3	1	7	6	5	8
5	1	7	6	8	9	3	4	2
8	4	2	1	3	5	7	9	6
7	5	6	2	9	8	1	3	4
9	3	1	4	7	6	8	2	5
1	7	8	9	5	2	4	6	3
3	6	5	7	4	1	2	8	9
2	9	4	8	6	3	5	1	7

585

6	9	3	8	1	5	2	7	4
4	2	5	3	7	9	8	1	6
7	1	8	6	4	2	5	3	9
2	3	7	1	9	6	4	8	5
8	5	1	4	2	7	6	9	3
9	4	6	5	3	8	1	2	7
3	8	2	9	6	4	7	5	1
5	6	9	7	8	1	3	4	2
1	7	4	2	5	3	9	6	8

586

8	2	6	9	4	5	7	1	3
1	7	9	8	3	2	4	5	6
5	3	4	7	1	6	2	8	9
9	1	7	5	2	3	8	6	4
3	4	5	6	7	8	9	2	1
2	6	8	1	9	4	3	7	5
4	8	1	2	6	9	5	3	7
6	9	2	3	5	7	1	4	8
7	5	3	4	8	1	6	9	2

587

5	3	4	8	2	1	9	7	6
2	8	7	6	5	9	1	3	4
9	6	1	7	3	4	8	5	2
6	1	3	5	9	2	4	8	7
7	9	8	3	4	6	5	2	1
4	2	5	1	7	8	6	9	3
8	4	2	9	1	3	7	6	5
1	5	6	2	8	7	3	4	9
3	7	9	4	6	5	2	1	8

588

6	1	7	9	4	8	2	5	3
9	2	3	6	5	1	8	4	7
4	5	8	7	2	3	6	9	1
1	4	5	2	9	6	7	3	8
3	8	9	1	7	5	4	2	6
7	6	2	8	3	4	9	1	5
5	9	4	3	8	7	1	6	2
2	7	6	5	1	9	3	8	4
8	3	1	4	6	2	5	7	9

589

8	7	5	3	1	2	6	9	4
6	3	9	8	7	4	2	5	1
2	4	1	5	6	9	8	3	7
1	8	7	9	2	6	3	4	5
3	9	4	1	5	8	7	6	2
5	2	6	4	3	7	1	8	9
7	1	8	6	9	5	4	2	3
4	5	3	2	8	1	9	7	6
9	6	2	7	4	3	5	1	8

590

2	8	4	1	9	7	6	5	3
7	1	6	2	5	3	9	8	4
3	5	9	6	4	8	7	2	1
5	3	7	4	1	6	8	9	2
8	9	2	3	7	5	1	4	6
6	4	1	8	2	9	5	3	7
1	6	3	9	8	4	2	7	5
9	2	5	7	3	1	4	6	8
4	7	8	5	6	2	3	1	9

591

5	7	8	4	9	6	3	1	2
3	1	9	2	7	5	6	8	4
2	6	4	1	3	8	9	7	5
4	2	6	9	1	7	8	5	3
1	9	7	5	8	3	2	4	6
8	5	3	6	2	4	7	9	1
9	8	1	3	5	2	4	6	7
7	4	2	8	6	1	5	3	9
6	3	5	7	4	9	1	2	8

592

6	5	1	9	4	3	7	8	2
9	2	8	7	5	6	3	4	1
7	3	4	2	1	8	5	9	6
1	7	9	4	3	5	6	2	8
8	4	5	6	2	1	9	7	3
3	6	2	8	9	7	4	1	5
2	9	6	3	8	4	1	5	7
4	1	7	5	6	2	8	3	9
5	8	3	1	7	9	2	6	4